D1601894

# LA COCINA FAMILIAR EN EL ESTADO DE CHIAPAS

*Chiapas*

# LA COCINA FAMILIAR EN EL ESTADO DE CHIAPAS

Chiapas

CONACULTA OCEANO

LA COCINA FAMILIAR
EN EL ESTADO DE CHIAPAS

Primera edición: 1988
Banco Nacional de Crédito Rural, S.N.C.
Realizada con la colaboración del Voluntariado Nacional y de las Promotoras Voluntarias del Banco Nacional de Crédito Rural, S.N.C.

Segunda edición: 2000
Editorial Océano de México, S.A. de C.V.

Producción:
Editorial Océano de México, S.A. de C.V.


Eugenio Sue 59
Col. Chapultepec Polanco, C.P. 11500
México, D.F.

ISBN
Océano: 970-651-447-3
970-651-450-3 (Obra completa)
CONACULTA: 970-18-5550-7
970-18-5544-2 (Obra completa)



Impreso y hecho en México.

LA COCINA FAMILIAR EN EL ESTADO DE

# Presentación

La Comida Familiar Mexicana fue un proyecto de 32 volúmenes que se gestó en la Unidad de Promoción Voluntaria del Banco de Crédito Rural entre 1985 y 1988. Sería imposible mencionar o agradecer aquí a todas las mujeres y hombres del país que contribuyeron con este programa, pero es necesario recordar por lo menos a dos: Patricia Buentello de Gamas y Guadalupe Pérez San Vicente. Esta última escribió en particular el volumen sobre la Ciudad de México como un ensayo teórico sobre la cocina mexicana. Los textos históricos y culinarios, que no las recetas recibidas, varias de ellas firmadas, fueron elaborados por un equipo profesional especialmente contratado para ello y que encabezó Roberto Suárez Argüello.

Posteriormente, hace ya más de seis años, BANRURAL traspasó los derechos de esta obra a favor de CONACULTA con el objeto de poder comercializar el remanente de libros de la primera edición, así como para que se hicieran nuevas ediciones de la misma. Esta ocasión llega ahora al unir esfuerzos CONACULTA con Editorial Océano. El proyecto actual está dirigido tanto a dotar a las bibliotecas públicas de este valioso material, como a su amplia comercialización a un costo accesible. Para ello se ha diseñado una nueva edición que por su carácter sobrio y sencillo ha debido prescindir de algunos anexos de la original, como el del calendario de los principales cultivos del campo mexicano. Se trata, sin duda, de un patrimonio cultural de generaciones que hoy entregamos a la presente al iniciarse el nuevo milenio.

Los Editores

# Introducción

El actual Estado de Chiapas ha sido asiento de múltiples culturas indígenas. En sus feraces tierras de costa, montaña y llanura se han desarrollado los chiapas, los choles, los lacandones, los mames, los querenes o chamulas, los tojolabales, los tzeltales, los zoques, entre otros grupos étnicos, en su mayoría descendientes de los mayas.

El vocablo Chiapas se deriva del nombre de los indios "chiapas", que según se cree peregrinaron desde el sur de Nicaragua antes de llegar a tierras chiapanecas. Los guiaba un cacique llamado Nandalumi; era un grupo de guerreros, poco numeroso, que llegó al Cerro de Tepechtia, un peñón que se encuentra en el lugar actualmente llamado El Sumidero, donde al fin se aposentó.

El territorio fue poblado inicialmente por los mayas. Venían éstos, al parecer, de Centroamérica, aunque algunos antropólogos afirman que llegaron por el norte. Y si no se sabe con exactitud la ruta de su llegada a Chiapas, lo que ya no admite duda es que más tarde se expandieron por todo el sureste.

Anunciaba la séptima profecía del Chilam Balam:

Come, come, tienes pan;
Bebe, bebe, tienes agua;
Ese día, el polvo cubre la tierra…
Ese día, las cosas caen en ruinas;
Ese día, se destruye la hoja tierna;
Ese día, se cierran los ojos moribundos;
Ese día, hay tres signos sobre el árbol;
Ese día, ahí esperan tres generaciones;
Ese día, se alza el estandarte de la guerra;
Y ellos se dispersan, muy lejos, en la selva.

El Chi-Chol-Naj, "boca de fuego en casa de los choles" (hoy Chichonal), hizo erupción. Sus cenizas cubrieron la tierra, los gases envenenaron el ambiente, humos y detritus nublaron el cielo; nació en aquel entonces un volcán, hubo terremotos, lava y piedras destruyeron casas y sembradíos y los mayas habitantes de Palenque vieron cumplida la profecía. Tres generaciones huyeron hacia los cuatro puntos cardinales, llevando consigo su arte, su ciencia, sus sabios.

El pensamiento abstracto les había dado las matemáticas y el cero, el arco, el calendario y las técnicas agrícolas más avanzadas del sur de Mesoamérica. En otros sitios volvieron a implantar el drenaje y el riego por declive, hicieron nacer entre la selva fértiles campos sembrados con maíz, cacao, plátano, mango, sandía, tabaco, frijol, aguacate y chiles.

También el Popol Vuh dice:

"Y de esta manera se llenaron de alegría, porque habían descubierto una hermosa tierra, abundante en mazorcas amarillas y mazorcas blancas, y abundante también en pataxte y cacao y en innumerables zapotes, anonas, jocotes, nanches, matasanos y miel…".

Si bien es cierto que la teogonía maya era agrícola, su concepción de los dioses y del universo se originó en la honda preocupación por el tiempo, ese tiempo que otorgó a su pueblo la oportunidad de fundar Yaxchilán, Ocosingo, Petén, Itzá. Tiempo para subdividirse en zoques, tzeltales, tzotziles y lacandones, o para ser dominados por los chiapas. Tiempo para florecer en vastas rutas comerciales, tan al sur como el imperio inca, y desde el Golfo de México hasta el Pacífico. Tiempo para sorprender a Gonzalo de Sandoval, a Bernal Díaz del Castillo, a Pedro de Alvarado y a Luis Marín, a pesar de que, en esos siglos tardíos, habían llegado ya a un largo período de decadencia. Y también tuvieron tiempo, pese a todo, para luchar en contra de los conquistadores, a sangre y fuego.

Entre 1522 y 1523, los españoles iniciaron la conquista del norte de Chiapas. Partieron del puerto de Espíritu Santo de Coatzacoalcos. En el año de 1527, don Diego de Mazariegos, con 150 infantes y 40 soldados a caballo, cinco tiros de artillería y un considerable número de indios mexicanos y tlaxcaltecas, llegaron hasta

Chiapa Nandalumi-Soctón, la llamaban los chamulas, la gran ciudad fundada por los chiapas hacia la margen izquierda del Río Grande (Grijalva).

Establecieron ahí, el 3 de marzo de 1528, su primera población y la llamaron Chiapa de los Indios. Montaña arriba, en alto valle, sitio privilegiado de arroyuelos y pinares, el 31 de marzo del mismo año hicieron la segunda prueba importante y la llamaron Chiapa de los Españoles, pero el mismo año le cambiaron el nombre por el de Villa Real. Y en 1529 quedó bautizada como Villa Viciosa.

De ese modo fue como San Cristóbal de los Llanos, hoy San Cristóbal de las Casas, en honor de Fray Bartolomé de las Casas, protector de los indios, se convirtió por muchos años en capital de la provincia chiapaneca.

Fray Bartolomé fue el primer obispo. Erigió la diócesis en 1539 y pasó a la historia por su defensa de los nativos, a quienes ya había congregado en pueblos como Ixtapa, Tecpatán y Chamula. En esta zona selvática, poseedora de diversos tipos de suelo, los españoles intentaron repetidamente evangelizar y colonizar, pero los resultados fueron infructuosos. En 1712 se sublevaron los tzeltales; los lacandones nunca pudieron ser sometidos, a pesar de los múltiples intentos que se hicieron. El sacerdote José Manuel Calderón, por ejemplo, inclusive fundó un pueblo para ellos, pero lo abandonaron al poco tiempo.

Chiapas vivió precarias situaciones jurídicas y administrativas. Sujeta al gobierno de Alonso de Estrada, a la Audiencia de México y de Francisco de Montejo, y a la de Los Confines, en la que se formó la Alcaldía Mayor, se estableció en Soconusco un gobierno dependiente de la Corona, a nivel político, y a Guatemala, en lo judicial. Esto originó múltiples sublevaciones indígenas, hasta 1868, con la tristemente célebre Guerra de Castas.

Durante la Colonia fue tal la notoriedad del Soconusco que el inmortal Miguel de Cervantes Saavedra, cuando demandó el favor real, solicitó al rey su gubernatura. Plena de vegetación exuberante, la región es un regalo de la naturaleza: se cultiva café, maíz, soya, cacao, algodón, plátano, caña de azúcar, mango, arroz, ajonjolí, sandía, tabaco, copra, frijol y aguacate. Hay frutales como el chicozapote, guayaba, zapote, anona, guanábana, naranja, limón, tamarindo, caimito, corozco, nanche, camote, almendro, castaña, yuca, guayo, coco y papaya. Con semejante esplendidez podría suponerse que los indios se daban las grandes comilonas, pero nunca fue así. Aun hoy en día, los diversos grupos étnicos que habitan el área mantienen viva la tradición gastronómica de no llevar a cabo más de dos comidas al día.

La cocina no es siempre muy elaborada. Sin olvidar los platillos de manufactura compleja y refinadísima, suele darse una comida sencilla y rica en cereales y verduras. "El café y el frijol y el maíz esperaban al lado. Es hora del estómago", señala Eraclio Zepeda. Es cierto, el comer de todos los días se basa en la tortilla, el frijol y ahora, en la carne de res y de cerdo, entonces recién importadas por los españoles, sumadas a la de tortuga, mojarra, tengayaca, colorado, robalo, sardina, sábalo, arenque, guabina, camarón, jaiba y almeja, que proporciona el mar, y los muchos ríos y esteros, además de diversas aves como la garza, el zanate, pájaro azul, pato y especies terrestres como el mono saraguato, mono araña, caimán y venado.

Las carnes son acompañadas –generalmente– de verduras como la calabaza, chayote, macal y zanahoria, pero la parte esencial de la alimentación indígena es el pozol, derivado del maíz, extendido por todo el sur del país como bebida refrescante y nutritiva, y elemento primordial en cualquier ritual.

Conviene recordar las delicias del chocolate y el café, parte integral de la dieta chiapaneca, convertidos en aromáticas bebidas. Símbolos de camaradería, de charla y reunión, tanto se extendieron que han dado su nombre a lugares de encuentro, a sitios socialmente gratos en los que se remansa la vida diaria de un gran porcentaje de la humanidad.

Por su lejanía y su aislamiento geográfico, las guerras de Independencia, Reforma y Revolución quedaron lejos de la entidad, casi no la tocaron. Los disturbios fueron de carácter local, separatista, hasta que en 1824 quedó definitivamente incorporada, por su libre decisión, a la República Mexicana, lo que no ocurrió con la zona del Soconusco hasta 1842. En 1892, el gobernador Joaquín Miguel Gutiérrez trasladó la capital del estado de San Cristóbal a Tuxtla Gutiérrez.

Chiapas es lugar en que se mantiene viva la tradición, en múltiples vertientes. A la fecha, por ejemplo, la construcción de las casas indígenas se efectúa –igual que hace cinco mil años–, invitando al vecino, al amigo y al pariente a realizar el corte de las maderas y la palma, así como la edificación. El rito incluye el alejamiento de los malos espíritus, mediante una ofrenda. Mientras esto sucede, las mujeres preparan pozol y dulces de papaya y coco, con los que alimentan a los trabajadores durante los míticos siete días que dura la fundación.

La tradición ordena que en Semana Santa se manufacture pan, en horno de lodo y con fuego de leña, y ese pan se sirve el jueves y viernes con chocolate. Por supuesto, debe haber música: y se escuchan las mil voces de la marimba lejana, para que el maíz y el trigo estén contentos.

Cruzan Chiapas cuarenta y seis ríos y la Sierra Madre. Cuenta con cinco puertos, entre ellos uno de altura. El estado contribuye a que el país sea el quinto productor mundial de azufre, y aporta la décima parte de la explotación de barbasco y pino. Sus campos surten más de un millón de quintales de café, y hay sesenta y cuatro pozos petroleros terrestres que han dado pie a la implantación de industrias de transformación y petroquímicas.

En Chiapas hay importante agricultura y ganadería; es notable su industria textil y la del cuero. Sus tierras dan albergue a millares de asilados. Tiene monumentos históricos y zonas arqueológicas notables, parques nacionales, museos, todo tipo de servicios y una corriente turística significativa, fundamentalmente nacional y de viajeros europeos, con un futuro prometedor por todo lo que se puede ofrecer al visitante.

¿Cómo no va a ser así? Sólo baste recordar sus artes culinarias. Chiapas pertenece a la gran zona de aromas de la selva, de chipilines y hierbasanta que transforman carnes y pescados en manjares inéditos. Cuya variedad de climas agudiza inteligencia y talentos gastronómicos, e inventa el pozol agrio– forma sabia de soportar los calores–, junto con el rojizo tascalate y las cervezas dulces refrescantes, y la paridad la ofrece la tierra fría en la que se encuentran los aguardientes, el chocolate caliente y la aportación calórica de los dulces de incitantes conservas.

Bajo el buen principio de la sopa de chipilín, puede elegirse un robalo en escabeche o hierbasanta, los cochinitos –los cochitos– en adobo estilo Chiapas; otro menú sin desperdicio puede abrirse con un suculento y especialísimo queso de Chiapas, relleno conforme la espléndida receta criolla, seguido de un mole amarillito, pariente lejano del "amarillo oaxaqueño", sin olvidar los tamalitos de juacané y su preciado sabor de camarón seco. Varia y original, inolvidable en verdad, son adjetivos propios de la gastronomía chiapaneca.

En seis apartados se abre este recetario de su cocina familiar, la de todos los días y la de los días de fiesta. Aunque no se incluye en ellos más que un muestrario de recetas, éste es amplio y suficientemente sólido como para dar una buena idea de las muchas posibilidades, los diversos gustos y productos de los microclimas de la entidad y la extensísima gama de fórmulas que suele emplear en sus comidas.

La primera sección, **Tamales, antojitos y salsas**, permite asomarse de inmediato a la riqueza del maíz y a los tamales de la zona, a lo que hay que agregar recetas tan apreciables como la de las empanaditas de Chiapa de Corzo. El segundo apartado, **Caldos, sopas y pucheros**, conforma igualmente una excelente y variada selección.

En el tercer apartado se trata de **Mariscos y pescados**, fórmulas que llevan de la mano a la sección cuarta, **Aves y carnes**, deslumbrantes ambas por el alto cuidado y la calidad que supone el platillo fuerte en las comidas cotidianas, quizá piedra angular en la concepción gastronómica del sureste.

El quinto apartado, el de **Verduras**, es un paréntesis breve y refrescante para llegar a la sexta y última sección, la de **Panes, dulces y postres**, un recorrido de verdadero deleite por las recetas de docena y media de golosinas excelentes.

# I
# *Tamales, Antojitos y Salsas*
## TAMALES, ANTOJITOS Y SALSAS

Chiapas es región a la que el transcurrir de los años ha ido cimentado –cada vez más- una personalidad recia y singular. Su proceso de integración cultural le ha dado características peculiares y, al mismo tiempo, gran mexicanidad. Por supuesto, su arte culinario ofrece notas igualmente distintivas, sin perder por ello sus coincidencias con la cocina del sureste y con la de otras zonas del país.

Sin que se puedan dejar de considerar sus fuertes rasgos mestizos y españoles, la gastronomía chiapaneca presenta –sobre todo en algunas regiones – rasgos indígenas definitorios. Precisamente por ello, sin duda, y aquí emparenta con la expresión culinaria de muchas otras entidades, sobresale en el quehacer de su cocina la presencia del maíz. Para ejemplificar el asunto, dentro del ámbito infinito de las posibilidades de esta gramínea, valga señalar la riqueza del tamal, sus mil variadas formas en la mesa chiapaneca.

Algunas muestras significativas abren así esta sección: desde los tamales más sencillos y comunes, como maíz y chile (los de hoja de milpa), hasta los lujosos de fiesta con su toque criollo o mestizo, como esa obra de delicada repostería que son los tamalitos de elote o la receta de los tamales de bola que lleva azafrán, achiote y comino. Todo ello pasando por los que agregan, al chile y maíz básicos, su trocito de carne o de pescado –pejelagarto de la zona– o de hierbas locales: chipilín, en este caso.

Prosigue, acto seguido, la receta de unas chalupas nacionales. Pero, claro está, al modo chiapaneco. Ahí están el plátano macho, los buenos frijoles negros, el adorno singular de lechuga, zanahoria y ¡betabeles! Más el queso rallado. Conviene traer a la memoria los espléndidos quesos de la entidad, desde los frescos y suaves hasta –sobre todo– los de sabor profundo y perdurable, los salados, los añejos, los parmesanos. Casi siempre de producción local restringida, inestable, escasamente comercial, que obliga a una selección cuidada para descubrir aquellos panes blancos o coloreados que son arte supremo de la quesería del país.

No resulta difícil observar, a lo largo de estas páginas, el valor que adquiere en el gusto de la entidad el chipilín del sureste. Aparece como un ingrediente común, junto –eso sí– a una desbordante serie de hojas y hierbas que sazonan, condimentan, añaden y colorean. Chiapas es rica en su herbario, aún no del todo conocido y aún – sin hipérbole– no del todo explorado.

Prometedora resulta, entre otras que se presentan después, la fórmula en la que, al chipilín, se incorporan tortas de masa y queso y en la cual, además, con el camarón seco y el achiote se logra obtener un sabor y un aroma inconfundibles.

Receta muy original es la siguiente, en ella la chapaya –flores y frutos de una palma –se suma a otro vegetal local, el yumi, es decir el tubérculo de un bejuco gigantesco, y se sirve caliente con una salsa preparada con semillas de calabaza y fécula de maíz, con orégano y pimienta.

Los huevos se preparan a la chiapaneca al revolverse con tostadas fritas y bañarlos con frijoles de la olla, aliñándolos –no es poca cosa– con queso, crema, chile, cebolla y aguacate.

***¡A comer, a comer! Porque quien les dé, hay; quienes les ruegue, no hay***

De la vieja ciudad, la de la inmensa y solitaria catedral y la bella fuente mudéjar, ribereña del noble y caudaloso Grijalva, de Chiapa de Corzo, proceden varias fórmulas de corte mestizo. Las riquísimas empanaditas o la chanfaina chiapacorceñas son sólo un ejemplo que se puede consultar aquí. El relleno de las primeras, a base de carne de puerco (o de queso añejo), más el clavo y pimienta, resultaría de gusto típicamente europeo sino fuese por el azúcar con que se espolvorean y sazonan. Son, pues, tales empanaditas uno de esos antojitos delicados, poco difundidos, propicios para desayunos de fiesta o meriendas inolvidables, que conviene saborear. Conjuntan dulce y sal, pan y carne: gastronomía aérea, equilibrio portentoso de la cocina hogareña.

Dos salsas con cuerpo cierran este apartado. Ambas son útiles para aderezar antojitos o para acompañar platillos de resistencia. Pilico es una salsa basada en las semillas molidas de la calabaza, harina de trigo o de maíz y chile molido de Simojovel –es decir– de la montaña chiapaneca. El pipián o pepián rebasa el ámbito local, mas la receta que se incluye regala la sencillez de su preparación como garantía de calidad.

## Tamalitos de elote

| | |
|---|---|
| 18 | *elotes* |
| 8 | *huevos* |
| 1/4 k | *crema* |
| 1/4 k | *manteca* |
| · | *azúcar* |
| · | *canela* |
| · | *pasitas* |
| · | *queso de sal* |
| · | *sal* |

- Moler el elote con la canela y una pizca de sal; batir con la crema, el queso, los huevos, la manteca, el azúcar y las pasitas.
- Una vez preparada la masa, se procede a elaborar los tamalitos con las mismas hojas de los elotes. Se ponen a cocer en una vaporera.
- Servirlos acabados de salir de la vaporera, recalentados o fritos en aceite.
- Rinde 10 raciones.

***Receta de Marlene Urbina Escobar***

## Tamales de hoja de milpa

| | |
|---|---|
| 2 k | *masa de maíz* |
| 1 k | *carne de puerco en trocitos* |
| 1/2 k | *jitomate* |
| 1/2 k | *manteca* |
| 15 | *limones* |
| 4 | *chiles chamborotes rojos* |
| · | *hojas de milpa (maíz), remojadas y lavadas* |
| · | *sal, al gusto* |

- Revolver la masa con manteca y sal, formando una pasta suave.
- Licuar los jitomates y los chiles (sin semilla) con un poco de masa para formar una salsa espesa.
- Exprimir 15 limones a la carne cruda y dejarla reposar una hora.
- Revolver la carne curtida con la salsa espesa. Formar porciones regulares con la masa preparada, hacerles un hueco y rellenarlos de carne y salsa, al gusto.
- Cerrar y envolver en hojas de milpa remojadas; cocer en vaporera durante una hora, con el agua con sal necesaria.
- Rinde 20 raciones.

## Tamales de juacané

| | |
|---|---|
| 1 k | *masa* |
| 1/4 k | *cabeza de camarón lavado y dorado* |
| 400 g | *manteca de cerdo* |
| 30 | *hojas grandes de hierbasanta* |
| 4 | *tazas de frijoles negros* |
| 2 | *tazas de papita molida* |
| · | *hojas de totomostle* |
| · | *sal, al gusto* |

- Licuar los frijoles, la cabeza de camarón y la pepita, formando una pasta espesa.
- Revolver la sal y la manteca. Las hojas de hierbasanta se lavan perfectamente y se cubren con una pasta delgada de masa, agregando encima una capa de frijoles; enrollar y colocar dentro de una hoja de totomostle (de mazorca de maíz) y amarrar los extremos para evitar que la hoja se rompa.
- Acomodar en un recipiente, entrelazándolos con cuidado.
- Cocer en una vaporera que tenga agua hirviendo con sal para apresurar el cocimiento y evitar que la pasta se deshaga.
- Rinde 15 raciones.

***Receta de Ilse Araujo de Archila***

## Tamales de pejelagarto al estilo Pichucalco

| | |
|---|---|
| 1 | *pejelagarto chico, cocido* |
| 1 k | *masa* |
| 1/2 k | *jitomate* |
| 1/2 k | *manteca de cerdo* |
| 3 | *dientes de ajo* |
| 2 | *cebollas medianas* |
| 1 | *chile blanco* |
| 1 | *manojo de cebollín* |
| · | *hojas de plátano* |
| · | *sal, al gusto* |

- Desmenuzar y freír el pejelagarto. Sazonar con sal.
- Picar finamente ajo, cebolla, jitomate, chile blanco y cebollín, todo ello se incorpora al pejelagarto; cuando tome un color rojizo se baja el fuego.
- En las hojas de plátano, cortadas en cuadros, extender tortillas de masa, ponerles en medio guisado de pejelagarto y envolver.
- Dejar cocer los tamales en una olla vaporera con agua y sal durante 40 minutos. Servir con salsa de jitomate, si se desea.
- Rinde 15 raciones.

***Receta de María Teresa Luna Magaña***

## Tamales de chipilín

| | |
|---|---|
| 2 k | *masa de maíz* |
| 1/2 k | *manteca* |
| 1/2 k | *jitomate* |
| 2 | *chiles chamborotes rojos, frescos* |
| 1 | *manojo de chipilín* |
| 1 | *queso de sal, fresco* |
| 1 | *rollo de hojas de maíz o totomostle* |
| · | *sal, al gusto* |

- Revolver la masa, manteca y sal hasta formar una preparación suave y uniforme; agregar las hojitas de chipilín lavadas y escurridas.
- Licuar los jitomates, los chiles y el queso, a que quede una pasta espesa.
- Tomar una bola regular de masa, hacerle un hueco, rellenarlo con la pasta y cerrarlo, envolviendo en hojas de maíz. Poner a cocer al vapor con el agua necesaria y un poco de sal.
- Rinde 12 raciones.

## Tamales de chipilín con camarón

| | |
|---|---|
| 1 k | *masa* |
| 1/2 k | *camarón seco (se separan las cabezas)* |
| 1/4 k | *arroz cocido y molido* |
| 1/4 k | *manteca* |
| 1 1/2 | *tazas de caldo de pollo* |
| 2 | *cominos* |
| 2 | *jitomates* |
| 1 | *diente de ajo* |
| 1 | *manojo de chipilín ya deshojado* |
| · | *hojas de plátano* |
| · | *manteca* |

- Preparar la masa agregando poco a poco el caldo, la manteca, vertiendo el arroz y, al final, las hojas de chipilín. Batir para revolver bien.
- Aparte se sofríen las cabezas de camarón, jitomate, ajos, cominos y cebolla. Enseguida se licuan y se revuelven con los camarones.
- Preparar las hojas de plátano pasándolas por el fuego (para que se ablande la hoja y no se quiebre). Se cortan pedazos de hoja en forma de cuadro y se van rellenando con una cucharada de masa (extender hacia los extremos y añadir en medio una cucharada de camarones).
- Se acomodan los tamales en una vaporera, agregando dos tazas de agua; dejar en el fuego durante una hora aproximadamente.
- Rinde 12 raciones.

***Receta de Ilse Araujo de Archila***

## *Tamales de bola*

| | |
|---|---|
| 1 k | *costilla de puerco* |
| 1 k | *manteca* |
| 1 k | *masa* |
| 1/2 k | *jitomate* |
| 1/2 k | *papas* |
| 200 g | *tomate verde* |
| 6 | *tostadas* |
| 5 | *cominos* |
| 4 | *chiles secos (crespo)* |
| 3 | *cucharadas de achiote* |
| 2 | *dientes de ajo* |
| 1 | *cebolla* |
| · | *azafrán* |
| · | *totomostle (hojas de maíz seco)* |
| · | *sal, al gusto* |

- Poner a cocer las papas y dorar el chile crespo y las tostadas. Moler el tomate, el jitomate colorado, la cebolla, el ajo, el achiote, los cominos y el azafrán, todo en crudo; también se muelen el chile y las tostadas.
- Colar a que se forme un atolito espeso y agregar la costilla de puerco en pedazos medianos.
- En la masa se revuelven la manteca y la papa bien molida; se hacen tortillas gruesas y se sazonan al gusto; se añade un pedazo de costilla con recaudo y se envuelve con la tortilla en forma de bolitas largas.
- Envolver con hojas de mazorca remojadas previamente en agua (para que al utilizarlas estén blandas); amarrar las dos puntas. Poner a cocer en vaporera, con poca agua, hasta que las costillas estén cocidas.
- Rinde 10 raciones.

***Receta de Cenobia Díaz Fonseca***

## *Empanaditas chiapacorceñas*

| | |
|---|---|
| 1 k | *harina* |
| 1 k | *pulpa de puerco cocida* |
| 1/2 k | *jitomate* |
| 1/2 k | *manteca de cerdo* |
| 5 | *huevos* |
| 3 | *cucharaditas de levadura* |
| 2 | *pimientas de Castilla* |
| 1 | *cebolla mediana* |
| 1 | *clavo* |
| · | *manteca para el molde* |
| · | *azúcar para espolvorear* |

- Formar una fuente con la harina y agregar un poco de agua de sal, se revuelve con la levadura, los huevos y 3/4 partes de la manteca; amasar todos los ingredientes y dejarlos reposar toda la noche para que esponjen. Cubrir con un lienzo.
- Al siguiente día preparar el relleno: picar la carne de cerdo, el jitomate y la cebolla y revolver los tres ingredientes. Freirlos en bastante manteca, agregando el clavo y las pimientas.
- Dividir la masa en cuatro tantos; aparte, se extiende cada uno lo más delgado posible, se les ponen encima bastante manteca, espolvorear harina y doblar.
- Esta operación debe repetirse tres veces, hasta formar ocho capas; enseguida, enrollar bien y volver a untar con manteca. Ya que se tienen los cuatro rollos, se cortan en trocitos.
- Estos trocitos se van extendiendo en forma de tortillas; se les pone una cucharadita de relleno y se doblan en forma de empanada, repujándoles la orilla. (También se pueden rellenar de queso seco.)
- Se acomodan en moldes previamente engrasados; y se hornean hasta que doren. Para servirse, espolvorear con azúcar.
- Rinde 20 raciones.

***Receta de Demetria Ruiz de Sánchez***

## Chalupas

12 *tortillas de maíz*
300 g *carne de cerdo cocida*
150 g *queso rallado*
1/2 *taza de frijoles*
4 *betabeles cocidos*
4 *zanahorias cocidas*
1 *lechuga, finamente picada*
1 *plátano macho*
1 *taza de salsa de jitomate con chile y cebolla, picados*
· *manteca*

- Freír en manteca las tortillas.
- Freír los frijoles molidos con el plátano.
- Picar lechuga, zanahoria y betabel.
- Poner sobre las tortillas la pasta de frijoles.
- Añadir carne de cerdo cocida y deshebrada y la salsa de jitomate; adornar con lechuga, zanahoria y betabel. Espolvorear con queso rallado.
- Rinde 6 raciones.

***Receta de Cristina Díaz Barriga***

## Chipilín con tortas de masa y queso

1 *manojo de chipilín*
1/2 k *masa*
1/4 k *camarón seco*
100 g *mantequilla agria*
100 g *queso seco*
2 *cucharadas de achiote*
2 *huevos*
2 *jitomates*
1 *diente de ajo*
1/2 *cebolla chica*
· *aceite*
· *sal, al gusto*

- Freír el jitomate licuado con ajo y cebolla.
- Agregar el chipilín cocido y los camarones.
- Diluir media taza de masa en agua; disolver el achiote y colarlo en el caldillo de jitomate. Agregar las tortitas y servir luego.
- Rinde 6 raciones.

**Tortitas**

- Revolver la masa con el queso, mantequilla y huevo.
- Formar tortitas que se fríen hasta que doren; retirar y reservar.

***Receta de Tachita Villarreal de De la Rosa***

## Pilico

1/4 k *semillas molidas de calabaza*
1 *cucharada de fécula de maíz*
· *chile de Simojovel molido*

- Hervir a fuego lento las semillas de calabaza.
- Espesar con fécula de maíz.
- Agregar el chile de Simojovel, al gusto.
- Sazonar al gusto y vaciarla en una salsera.
- Rinde 6 raciones.

***Receta de Josefina Torres Aguilar***

## *Huevos a la chiapaneca*

| | |
|---|---|
| 8 | *huevos* |
| 200 g | *queso blanco* |
| 2 | *tazas de frijoles de la olla, caldosos* |
| 1/2 | *taza de crema* |
| 3 | *tostadas* |
| 2 | *aguacates* |
| 1 | *cebolla* |
| · | *aceite* |
| · | *rajas de chiles en vinagre* |
| · | *sal, al gusto* |

- Freír las tostadas quebradas en pedacitos con los huevos, revolviendo muy bien. Agregar los frijoles de la olla; dejar que sazonen.
- Servir en un platón, adornar con rebanadas de queso, crema, aguacate, rajas de chile y cebolla picada; sazonar con sal.
- Rinde 4 raciones.

***Receta de Maruca Martínez de Robelo***

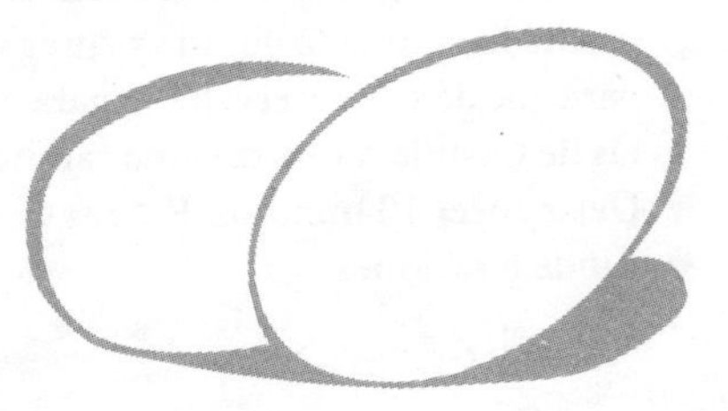

## *Pipián*

| | |
|---|---|
| 1 | *pollo cocido, en piezas* |
| 1 | *litro de caldo de pollo* |
| 1/4 k | *semilla tostada y molida de calabaza* |
| 2 | *dientes de ajo* |
| 2 | *jitomates* |
| 1 | *cebolla* |
| 1 | *rama de epazote* |
| 1/2 | *bolillo* |

- Freír el jitomate molido con cebolla, dientes de ajo y el bolillo; añadir la pepita de calabaza disuelta en dos tazas de caldo de pollo.
- Agregar caldo para darle el espesor que se desee; añadir la rama de epazote y dejar cocinar a fuego lento.
- Colocar las piezas de pollo ya cocidas; dejar hervir a fuego lento un momento y servir luego.
- Rinde 6 raciones.

***Receta de Bertha Ortega de Aparicio***

## *Chapaya*

| | |
|---|---|
| 300 g | *semillas molidas de calabaza* |
| 4 | *huevos cocidos* |
| 1 | *cucharada de fécula de maíz o harina* |
| 1 | *manojo de chapaya* |
| 1 | *pizca de orégano* |
| 1 | *yumi* |
| · | *pimienta molida, al gusto* |

- Quitar las flores a la chapaya y hervirlas; si hay retoños tiernos, mejor. Cocer el yumi.
- Una vez cocidos estos vegetales, tirar el caldo para unirlos, Terminar de cocer en una salsa a base de semillas molidas de calabaza y fécula de maíz, espesándola a fuego lento. Sazonar con pimienta molida, orégano y sal, al gusto.
- Rebanar el yumi en pequeños trozos y agregarlos a la salsa con rebanadas de huevo cocido y las flores de la chapaya. Servir caliente.
- Rinde 6 raciones.

***Receta de María Enriqueta Loperana Vázquez***

# *Chanfaina chiapacorceña*

| | |
|---|---|
| *1/2 k* | *menudencias de res (hígado, corazón, bofe, panza, riñón)* |
| *1/2* | *taza de hígado molido* |
| *2* | *clavos* |
| *2* | *cucharadas de pan molido* |
| *2* | *pimientas de Castilla* |
| *2* | *rajitas de canela* |
| *1* | *cebolla chica* |
| *1* | *jitomate mediano* |
| *1* | *ramita de tomillo* |
| · | *manteca de cerdo* |
| · | *vinagre y sal, al gusto* |

- Cocer las menudencias de res en agua con sal; dejar enfriar y cortar en trocitos.
- Freír en manteca jitomate y cebolla picados; agregar los trocitos de menudencias, moviendo constantemente.
- Cuando reseque, agregar el caldillo en el que se coció la carne, previamente colado.
- Disolver el hígado y el pan en media taza de caldo para preparar una pastita ligeramente líquida y agregar al cocimiento; añadir el vinagre para que dé sabor y el achiote para que dé color; canela, clavo, pimientas de Castilla molidas y una ramita de tomillo.
- Dejar cocer 10 minutos. Retirar de la lumbre para que repose.
- Rinde 6 raciones.

II

# Caldos, Sopas y Pucheros

## CALDOS, SOPAS Y PUCHEROS

Mosaico de climas y culturas: de la costa a la montaña; de la llanura y la altiplanicie al bosque tropical y a la selva de caoba, la región chiapaneca refleja naturalmente tan rica gama en la expresión cotidiana de su cocina familiar.

Empecemos con las especies acuáticas. El caldo de shuti, es decir, de caracol de río, se prepara con chile ancho, jitomate, cebolla, hoja santa y pepita de calabaza. El resultado es apetitoso. Con cabezas de pescado, las que se consigan de ocasión en el mercado o la pescadería, se puede elaborar una sopa que aprovecha sobradamente varias especias: comino, pimienta, orégano, perejil y chile dulce. El resultado es, nuevamente, de gran sustancia. Recomendable para niños, mayores y muy mayores.

Enseguida reaparece el oloroso reino de las buenas hierbas nativas. Volvemos al chipilín. Con él se da vida a las dos sopas que se ofrecen a continuación: una, con chile chamborote, elotes, aguacate y deleitosas bolitas de masa rellenas de queso añejo, Otra, delicadísima, en forma de crema que se complementa con suaves calabacitas y elotes tiernos.

Sopa tapachuleca, por venir de la bella ciudad del cacao y del café, se llama una crema que se prepara con flores de calabaza y elotes y se acompaña de ciertas frituras inolvidables: calabacitas capeadas y fritas en manteca. De enorme gusto para todos es la nutritiva sopa de frijoles negros. La receta que se presenta en este apartado no olvida el epazote, y añade tocino y tiritas doradas de tortilla.

Desde la costa hemos subido a la montaña. Estamos ahora en la tierra del puchero, plato que puede tomarse como único por variado y abundante. Se ha incluido para empezar, entre las diversas recetas seleccionadas, un "pollo parrandero". Va cubierto de su caldito y es, sin demasiada exageración, una verdadera hortaliza: chícharos, zanahorias, papa, chayote, jitomate, chiles, ajo, etc. Más ortodoxa es la fórmula del puchero de gallina, realzada en este caso por los aromas del tomillo, el orégano, el laurel y la hierbabuena.

El espinazo de puerco y la chaya sustentan la base de otro platillo bautizado como puchero, aunque puede entenderse en realidad como un guiso caldoso, y ciertamente muy deleitoso, sazonado con jitomate, ajo, tomillo y pimienta, bien acompañado de su guarnición de arroz.

En lugar de fríos, son buenos los cocidos. Una versión mexicana del cocido español es la receta del denominado "cocido estilo San Cristóbal" (de las Casas), por la bella y alta ciudad colonial donde se recreó y se acostumbra con frecuencia. A más de las varias carnes que pide, incorpora diversos tubérculos y raíces, como

*Los pucheros borbollan*
*sustanciosos de res sacrificada,*
*de hortaliza escogida, de corral abundante.*
*Y pasan a la mesa, interrumpiendo*
*la charla baladí o la palabra áspera.*

*Acción de gracias*
ROSARIO CASTELLANOS

el camote y la cueza, así como un buen número de verduras, todo ello sin olvidar las frutas: plátano, peras y duraznos y, de manera opcional, aquéllas de la estación que resulten apropiadas. Comida casera que, según afirmación de fuereños y coletos, hace fiesta de cualquier día.

Lejanas en origen son las dos recetas que cierran el apartado. La primera es toda una paradoja: por su gran humildad, la cual no le quita calidad ni riqueza. Es ella una española sopa de pan, también de San Cristóbal, a base de bolillos y transformada con aceitunas, pasitas, ciruelas pasas y huevo cocido. La otra, de remota influencia italiana, es una "sopa de tallarines" que se sugiere combinar con fideos gruesos y servir, en su caldo, con plátanos fritos, pasitas y huevos cocidos, como peculiar detalle del gusto regional.

## Caldo de shuti

- 1 *shuti (caracol de río)*
- 250 g *jitomate*
- 200 g *pepita de calabaza dorada*
- 2 *litros de agua con sal*
- 2 *chiles anchos remojados*
- 1 *cebolla*
- 1 *hoja santa*

- Quitarle la punta al shuti con machete y ponerlo a cocer con agua y sal durante una hora aproximadamente.
- Agregar los demás ingredientes (licuados y colados) y hervir durante quince minutos.
- Servir con el shuti picado en trocitos.
- Rinde 8 raciones.

**Receta de Carmina González de Gómez**

## Chipilín con bolitas

- 2 *litros de agua*
- 1/2 k *masa de maíz*
- 1/4 k *queso fresco*
- 100 g *manteca*
- 2 *aguacates*
- 2 *elotes desgranados*
- 2 *limones*
- 1 *chile verde chamborote*
- 1 *manojo de chipilín*
- 1 *rabo de cebolla*
- · *sal, al gusto*

- Poner al fuego dos litros de agua con sal al gusto, el rabo de cebolla, chile verde, los granos de elote y el chipilín lavado y escurrido.
- Revolver la masa con manteca y sal hasta formar una pasta suave y uniforme.
- Hacer bolitas de masa, rellenarlas de queso fresco que se dejan caer en el caldo de chipilín hirviendo, el cual debe continuar en el fuego hasta terminar su cocción.
- Servir con aguacate, queso de sal fresco y limones.
- Rinde 10 raciones.

**Receta de Ilse Araujo de Archila**

## Sopa de cabeza de pescado

- 2 *cabezas de pescado*
- 2 *cucharadas de manteca*
- 2 *cucharadas de aceite*
- 1/2 *cucharadita de orégano*
- 10 *pimientas*
- 6 *cominos*
- 5 *bolillos cortados en cuadritos y fritos*
- 5 *ramas de perejil picado*
- 3 *dientes de ajo asados*
- 1 *cebolla verde*
- 1 *cebolla picada*
- 1 *chile dulce (chile de agua o pimiento morrón)*
- 1 *jitomate*
- · *sal, al gusto*

- Hervir las cabezas de pescado en dos litros de agua, durante 30 minutos; añadir pimienta, cominos, ajo, cebolla verde, orégano y sal; cocer durante una hora.
- Sacar las cabezas y quitarles carne y gelatina. Reservar.
- Freír la cebolla picada, el jitomate y el chile dulce (asados, pelados y picados) en la manteca y el aceite. A los 10 minutos, agregar el caldo pasado por colador. Al hervir, agregar el perejil.
- Servir con carne y gelatina de pescado y cuadritos de pan fritos.
- Rinde 8 raciones.

**Receta de Carmen Morga de Figueroa**

## Crema de chipilín

| | |
|---|---|
| 1/2 | *litro de leche hervida* |
| 2 | *tazas de hojas de chipilín* |
| 1/4 | *taza de crema* |
| 4 | *calabacitas tiernas* |
| 4 | *elotes tiernos desgranados* |
| 1 | *cebolla chica partida en cuartos* |
| 1 | *cucharada de mantequilla* |
| 1 | *pizca de bicarbonato* |
| · | *sal y pimienta, al gusto* |

- Hervir medio litro de agua con sal y bicarbonato, al soltar el hervor agregar las hojas de chipilín a cocer; retirar y escurrir.
- Freír en la mantequilla la cebolla, cuando acitrone, retirarla y freír los granos de elote y la calabacita en cuadritos.
- Agregar el agua donde se coció el chipilín; cuando estén bien cocidas las verduras, añadir las hojas de chipilín picadas y la leche; sazonar con pimienta y sal.
- Retirar del fuego y, de inmediato, agregar poco a poco la crema, moviendo constantemente. Servir luego.
- Rinde 6 raciones.

***Receta de Dolores Albores Vda. de Solórzano***

## Pollo parrandero

| | |
|---|---|
| 1 | *pollo grande, en piezas* |
| 150 g | *jamón* |
| 150 g | *tocino* |
| 2 | *tazas de caldo* |
| 1/2 | *taza de chícharos* |
| 20 | *aceitunas grandes* |
| 4 | *jitomates grandes* |
| 3 | *dientes de ajo* |
| 2 | *cucharadas de cebolla picada* |
| 1 | *cebolla chica* |
| 1 | *chayote picado* |
| 1 | *chile chocolate* |
| 1 | *papa grande picada* |
| 1 | *rama de tomillo* |
| 1 | *zanahoria picada* |
| 1/2 | *chile ancho* |

- Cocer el pollo con cebolla, ajo y tomillo; freír el tocino partido en cuadritos con la cebolla picada.
- Cocer el jitomate con el chile chocolate y licuarlo. Freírlo en la grasa del tocino con el chile ancho en pedacitos.
- Freír el pollo cocido y agregar el tocino, la salsa, el jamón picado, la verdura previamente cocida, así como dos tazas del caldo en el que se coció el pollo. Continuar la cocción y retirar antes de que reseque.
- Sazonar al gusto; debe quedar ligeramente caldoso.
- Rinde 8 raciones.

***Receta de Lidia Chacón Rosales***

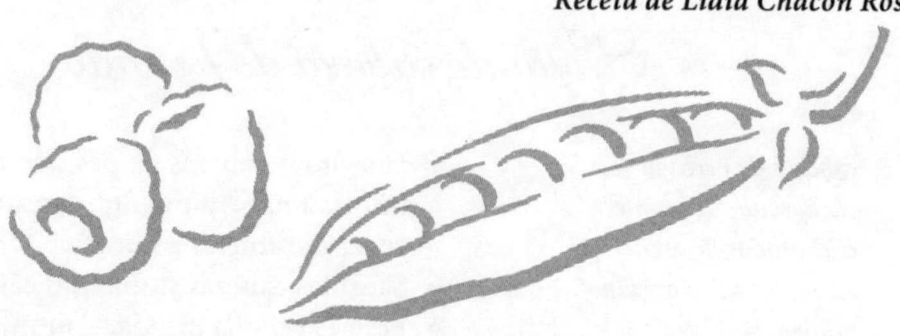

## Sopa de pan

| | |
|---|---|
| 2 | *litros de caldo de pollo* |
| 50 g | *pasitas* |
| 10 | *ciruelas pasas* |
| 4 | *huevos cocidos* |
| 2 | *bolillos fríos rebanadas* |
| 2 | *ramitas de tomillo* |
| 1/2 | *taza de aceitunas* |
| · | *aceite* |

- Hervir el caldo de pollo con las ramitas de tomillo.
- Dorar las rebanadas de pan en aceite; escurrirlas sobre un papel.
- Colocar en un platón hondo las rodajas de pan frito, las aceitunas, pasitas, ciruelas pasas y rebanadas de huevo cocido.
- Agregar el caldo hirviendo. Servir
- Rinde 8 raciones.

***Receta de Elizabeth Esquinca Zebadúa***

# *Sopa de frijoles negros*

- 2 *tazas de caldo de frijoles*
- 2 *tazas de frijoles negros cocidos*
- 3 *tiras de tocino frito y desmenuzado*
- 3 *tortillas rebanadas en tiritas y doradas*
- 2 *cucharadas de aceite o manteca*
- 1 *jitomate asado, molido y colado*
- 1 *ramita de epazote*
- 1/2 *cebolla mediana*

- Freír el tocino hasta que esté bien dorado; sacar y desmenuzar. En la grasa que queda, freír la cebolla.
- Los frijoles se muelen en la licuadora y se cuelan; enseguida se fríen en la misma grasa.
- Freír por separado el jitomate molido y colado y agregar los frijoles con caldo, el tocino y un poco de agua (debe quedar como sopa cremosa); añadir epazote, sal y pimienta; dejar al fuego durante diez minutos. Servir colado con tiritas doradas de tortilla.
- Rinde 8 raciones.

***Receta de Bernardina Elías de Valdés***

# *Sopa tapachulteca*

- 1/2 k *flor de calabaza*
- 50 g *manteca*
- 50 g *mantequilla*
- 2 *litros de leche*
- 1/2 *taza de crema fresca*
- 3 *cucharadas de harina*
- 2 *cucharadas de manteca*
- 2 *calabacitas largas*
- 2 *elotes*
- 2 *huevos*
- 1 *cebolla*
- · *sal y pimienta, al gusto*

- Lavar la flor de calabaza, sin tallos; picar y freír en la manteca, lo mismo que la cebolla rebanada.
- Agregar los elotes desgranados, la mitad de la leche y sal. Dejar hervir hasta que los elotes y la flor estén bien cocidos.
- Licuar con la leche en que se cocieron, agregar la leche restante y colar. Freír la harina en la mantequilla; antes de que dore, agregar la leche con lo molido, sazonar con sal y pimienta y dejar hervir hasta que espese.
- Vaciar en la sopera, donde estará la crema; agregar las frituras y servir inmediatamente.
- Rinde 10 raciones.

**Frituras**

- Cocer las calabazas cuidando que no se deshagan. Ya frías, rebanar en redondo. Dejar orear un rato, pasar por la harina y los huevos batidos, freír en la manteca y servir con la sopa.

***Receta de Carmen Morga de Figueroa***

## Puchero de gallina

- 1 *gallina*
- 3 *litros de agua*
- 150 g *jitomate en rebanadas*
- 100 g *arroz*
- 6 *pimientas*
- 1 *diente de ajo*
- 1 *clavo*
- 1 *hoja de laurel*
- 1 *rama de hierbabuena*
- 1 *rama de orégano*
- 1 *rama de tomillo*
- 1 *robo de cebolla*
- · *sal, al gusto*

- Poner a cocer la carne de la gallina partida en trozos; agregar sal, clavo, laurel, orégano, pimientas, tomillo, jitomate, cebolla y ajo.
- Añadir el arroz cuando la gallina esté a medio cocer; al final, agregar la hierbabuena.
- Retirar y servir cuando la carne de la gallina termine de cocerse.
- Rinde 8 raciones.

## Puchero de espinazo con chaya

- 1 k *espinazo de puerco (en retazos)*
- 125 g *arroz lavado*
- 6 *pimientas*
- 3 *dientes de ajo*
- 3 *jitomates*
- 1 *cebolla*
- 1 *manojo de chaya tierna*
- 1 *rama de tomillo*
- · *aceite*

- Cocer el espinazo en dos litros de agua con sal, un diente de ajo y cebolla; por separado, asar y pelar los jitomates con un diente de ajo.
- Acitronar en aceite un trozo de cebolla y un ajo; dorar el arroz, previamente lavado; agregar el jitomate licuado con el ajo y colado, las pimientas y el tomillo.
- Cuando reseque el jitomate, agregar 3/4 de taza de agua; al empezar a hervir el arroz, añadir el espinazo con el caldo, agregar la chaya y cocer durante 20 minutos. Retirar del fuego y servir luego.
- Rinde 8 raciones.

***Receta de Bernardina Rosales de Chacón***

## Sopa de tallarines

- 2 *litros de caldo de pollo*
- 1/4 k *tallarines*
- 1/4 k *fideos gruesos*
- 100 g *pasitas*
- 4 *clavos de olor*
- 3 *huevos cocidos*
- 3 *pimientas*
- 2 *jitomates*
- 2 *plátanos fritos*
- 1 *cebolla chica*
- · *aceite*

- Dorar en aceite los tallarines y fideos, escurrir.
- Aparte, preparar el caldillo de la siguiente manera: freír los jitomates y la cebolla licuados; agregar el caldo, una pimienta y unos clavos de olor; cuando hierva, agregar la pasta dorada.
- Cuando esté casi cocida, añadir las pasitas y, en rodajas, los plátanos fritos. Adornar con los huevos cocidos rebanados.
- Rinde 8 raciones.

***Receta de Antonia Rodríguez de Espinosa***

# Cocido estilo San Cristóbal

| | |
|---|---|
| 3/4 k | *costilla de res* |
| 3 | *zanahorias* |
| 2 | *calabacitas* |
| 2 | *chayotes* |
| 2 | *dientes de ajo picados* |
| 2 | *elotes en trozos* |
| 2 | *plátanos machos verdes* |
| 1 | *camote* |
| 1 | *cebolla picada* |
| 1 | *cueza* |
| 1 | *jitomate picado* |
| 1 | *rama de cilantro* |
| 1 | *rama de hierbabuena* |
| 1/2 | *col* |
| 1/2 | *taza de ejotes picados* |
| · | *un poco de tuétano para dar sabor* |
| · | *peras o duraznos* |
| · | *chile* |
| · | *sal, al gusto* |

- Cocer la carne junto con los elotes, jitomates, cebolla, ajos y sal. (En lugar de costilla, puede combinarse aguayón, falda y chambarete.)
- Cuando la carne esté medio cocida, agregar las verduras limpias (primero las que tardan más en cocerse).
- Añadir la rama de cilantro y la hierbabuena. Retirar del fuego.
- Rinde 8 raciones.

***Receta de María de Lourdes S. de Torres***

# Mariscos y Pescados

## III MARISCOS Y PESCADOS

De las costas chiapanecas, poco conocidas y aún menos explotadas, y de las aguas interiores, sobre todo de los ríos caudalosos y las grandes presas: nuevas, inmensas domeñadoras de corrientes, que henchidas de peces transforman en la actualidad la dieta de los habitantes del interior del estado, ha surgido una distinta cocina familiar, la cual incluye más, cada vez, las riquezas acuáticas en sus recaudos. El gusto regional y la influencia indígena adquieren, por otra parte, prestancia auténtica en el muestrario de recetas que integran este apartado.

El ceviche mexicano, clásico, debe ser de sierra, mas aquí para empezar se propone uno específico de mojarra. Los demás ingredientes se apegan a la manera tradicional y mejor probada en el arte de lograr fina sazón. Sobre todo si la cebolla es "morada" y el aceite "de oliva".

Es de camarones secos la base de una botana (en realidad, un platillo de buen comer) que se condimenta con cebolla, aceite y chile colorado seco, sin faltar un poquitín de "salsa inglesa". Sápida fórmula, de preparación larga: sugiere 24 horas de reposo, y es fenomenal para los paladares fuertes.

Para los días de guardar se recomienda una "vigilia" poco moderada y nada insípida. La receta es de camarón sobre un preparadito de cebolla, frijol machacado y pepita molida, aromatizados con hierbasanta. ¿ Se considerará plato propio de días austeros porque no lleva chile?

Enseguida, el riquísimo camarón de las costas del Océano Pacífico aparece otra vez en la fórmula de un delicioso "chupe". Esto es, de unos huevos revueltos con una mezcla de camarones secos y frescos, en proporción de uno de los primeros por dos de los segundos. Epazote, ajo, jitomate y chile cuaresmeño se agregan para el mayor sabor de esta buena fórmula.

Típica del sureste es la tortuga en sangre, receta que tiene una versión chiapaneca en la preparación que se propone acto continuo: incorpora chiles dulces, plátano macho verde, macal y achiote y, por supuesto, una tortuga mediana pues está calculada para diez personas.

Pargo en macún es una fórmula en la cual el pescado se cocina envuelto en hojas de plátano y se marina con naranja agria, achiote, chile dulce y especias. Al robalo preparado en forma semejante –con hojas de plátano-, al vapor, se le llama "pescado de chumul". Lleva jitomate, cebolla y epazote como condimentos y, como apunta la cocina familiar cada vez que es posible, un chorrito de "aceite de oliva".

Otra fórmula local para salpimentar el robalo recomienda envolverlo en hojas de hierbasanta, cubrirlo con una sabrosa salsa de jitomate, ajo y cebolla, y espolvorearlo de hierbas finas, para después meterlo al horno.

A la postre, para concluir tan deliciosa sección, se incluye la receta de un original pescado baldado. Esto es, pescados secos primero remojados y capeados con huevo después. Conviene aclarar que, en la región, baldado se utiliza como sinónimo de capeado. Servidos estos pescados –cuya economía y disponibilidad resultan evidentes – con una sopa de arroz y bañados con un mole de chile ancho, jitomate y cebolla, son platillo de frecuentes ocasiones y compromisos, por su precio accesible y su buen sabor.

***Para mentir y comer pescado se necesita mucho cuidado***

## Ceviche de mojarra

| | |
|---|---|
| 1 k | *filete de mojarra* |
| 1/2 k | *jitomate* |
| 1/2 k | *limones* |
| 2 | *dientes de ajo* |
| 1 | *cebolla morada* |
| 1 | *frasquito de aceitunas* |
| 1 | *lata chica de chiles jalapeños (se usa el caldo solamente)* |
| 1 | *manojo de cilantro* |
| · | *aceite de oliva (un chorrito)* |
| · | *chiles verdes* |
| · | *mayonesa* |
| · | *sal y pimienta, al gusto* |

- En un recipiente colocar el filete con jugo de limón y sal; dejar una hora. Una vez que esté blando, escurrir bien y picar en trocitos.
- Picar finamente los jitomates, cebollas y cilantro; junto con el aceite de oliva se agregan al filete.
- Añadir el caldo de los chiles jalapeños; el ajo y la pimienta se muelen y se agregan.
- Las aceitunas se pican e incorporan con la mayonesa. Revolver bien y sazonar al gusto.
- Rinde 8 raciones.

***Receta de Raymundo Ramírez Rubio***

## Botana de camarones secos

| | |
|---|---|
| 1 k | *camarones secos* |
| 1 k | *jitomate* |
| 1/2 k | *cebolla* |
| 1/2 | *litro de aceite* |
| 2 | *chiles colorados secos* |
| 2 | *cucharadas de salsa inglesa* |

- Freír en aceite la cebolla finamente picada y dejar dorar, a que tome un color dorado oscuro.
- Agregar el jitomate asado y licuado con los chiles colorados; cocinarlos a fuego manso.
- Dejar que se fría hasta que aparezca la grasa; enseguida agregar los camarones. (Se les quitan las patas y la cabeza, pero no se pelan ni se les quita la cola con el objeto de que de allí se puedan agarrar.)
- Freír a fuego lento un rato, con la salsa ya sazonada.
- Prepararlos un día antes de preferencia.
- Rinde 8 raciones.

***Receta de Bertha Ortega de Aparicio***

## Vigilia

| | |
|---|---|
| 1/4 k | *camarón* |
| 10 | *hojas de hierbasanta* |
| 4 | *tazas de frijoles cocidos* |
| 1 | *taza de pepita molida* |
| 2 | *cucharadas de manteca* |
| 2 | *rebanadas de cebolla* |
| · | *sal, al gusto* |

- Acitronar la cebolla en la manteca, dejando caer el frijol machacado.
- Agregar la pepita disuelta en un poco de agua y colada, los camarones sin cabeza y las hojas de hierbasanta en pedazos.
- Dejar cocinar a fuego lento hasta que las hojas queden suaves. Sazonar con sal, al gusto.
- Rinde 8 raciones.

## Chupe de camarón

- *1/2 k camarones frescos*
- *1/4 k camarones secos*
- *4 huevos revueltos*
- *2 dientes de ajo pelados y partidos a la mitad*
- *2 chiles cuaresmeños (enteros)*
- *2 jitomates medianos*
- *1 cebolla mediana*
- *1 ramita de epazote*
- *· sal y pimienta, al gusto*

- Colocar en un recipiente hondo, con agua suficiente, los camarones bien lavados y pelados, sin cola ni cabeza. Cuando los camarones frescos se pongan rojos, al estar hirviendo, retirar del fuego.
- En una sartén poner al fuego dos cucharadas de aceite; cuando empiece a calentarse, agregar los dientes de ajo y la cebolla, mover; cuando ya se encuentren dorados, sacar y añadir el jitomate pelado y partido en rebanadas; dejar que se fría muy bien.
- Machacar con una cuchara o tenedor y agregar al caldo donde se encuentran los camarones. Nuevamente se pone al fuego, se añade epazote, pimienta, sal, pedacitos de zanahoria cocida y de apio.
- Cuando se vaya a servir, agregar el huevo en chorritos delgados y sin moverlo; servir caliente.
- Rinde 12 raciones.

**Receta de Dolores Albores Vda. de Solórzano**

## Pescado baldado

- *2 pescados secos (remojados en agua caliente durante 3 minutos)*
- *1/4 k arroz remojado y molido*
- *1/4 k jitomate*
- *6 pimientas chicas (sofritas)*
- *5 clavos*
- *4 huevos*
- *3 chiles anchos desvenados y remojados*
- *1 cubo de consomé en polvo*
- *1/2 cebolla mediana*
- *· aceite*
- *· sal, al gusto*

- Batir las claras a punto de turrón, agregar las yemas y revolver.
- Sofreír y licuar el jitomate y los demás ingredientes; se debe mover constantemente este mole para que no se pegue.
- Limpiar y enjuagar bien los pescados, escurrir y secar.
- Pasar los pescados por el huevo batido y freír en aceite caliente; cuando doren, retirar y bañar con el mole.
- Servirlo acompañado de arroz.
- Rinde 6 raciones.

**Receta de Bernarda Astudillo**

## Robalo en hierbasanta

- *6 rebanadas de robalo*
- *6 hojas de hierbasanta*
- *1/2 k jitomate*
- *5 cucharadas de manteca*
- *3 dientes de ajo*
- *2 ramitas de tomillo*
- *1 cebolla*
- *1 cucharada de orégano*

- Untar las rebanadas de pescado con sal y pimienta y envolver cada una en hoja de hierbasanta.
- En un refractario, untado con manteca, acomodar el pescado, cubrir con jitomate, ajo y cebolla picados; orégano y tomillo.
- Rociándolo con la manteca requemada, cocer en el horno por espacio de 25 minutos; se sirve luego.
- Rinde 6 raciones.

**Receta de Matilde Mandujano**

## Pargo en macún

- 2 k *pargo mediano*
- 350 g *jitomate*
- 1/4 *taza de achiote*
- 1 *cucharadita de orégano*
- 1/2 *cucharadita de comino*
- 6 *pimientas*
- 5 *naranjas agrias*
- 2 *cebollas en rebanadas*
- 2 *dientes de ajo*
- 2 *hojas de plátano*
- 2 *pimientas grandes*
- · *chile dulce (chile de agua o pimiento morrón)*
- · *limón*

- Limpiar el pargo, abrirlo por la mitad y lavarlo con limón.
- Rallar la cáscara de un limón y moler con pimienta, comino, orégano, ajo, achiote, pimienta grande y el jugo de las naranjas.
- Bañar el pargo con esta preparación, agregar la cebolla y el jitomate en rebanadas y chile dulce. Envolver en hojas de plátano; hornear durante15 minutos aproximadamente.
- Rinde 10 raciones.

***Receta de Carmen Reyes de González***

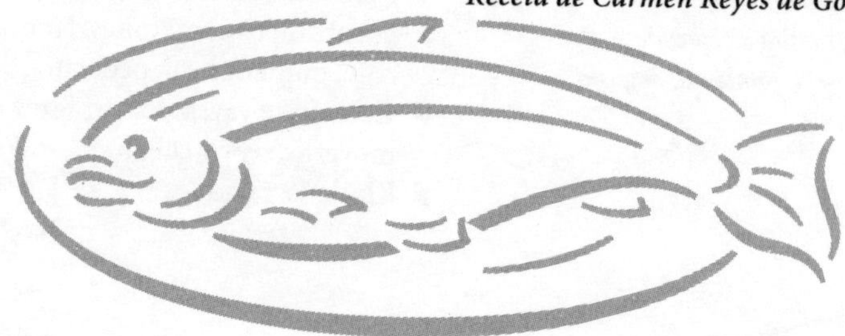

## Pescado de chumul

- 1 k *robalo en rodajas de 150 g cada una*
- 1/2 k *jitomate*
- 2 *cebollas*
- 1 *manojo de epazote*
- · *aceite de oliva*
- · *ajos*
- · *hojas de plátano o chumul*
- · *sal y pimienta, al gusto*

- Salpimente y coloque las rodajas de pescado sobre hojas de plátano cortadas a regular tamaño.
- Ponga encima de cada rebanada de pescado dos rodajas de jitomate, una rebanada de cebolla, un diente de ajo picado, una ramita de epazote y una cucharadita de aceite; agregue sal y pimienta.
- Junte los extremos de la hoja y haga un doblez, a manera de sobre; doble los otros extremos, ate el chumul en forma cruzada. Coloque en una vaporera y cocine por espacio de 30 minutos, aproximadamente.
- Rinde 6 raciones.

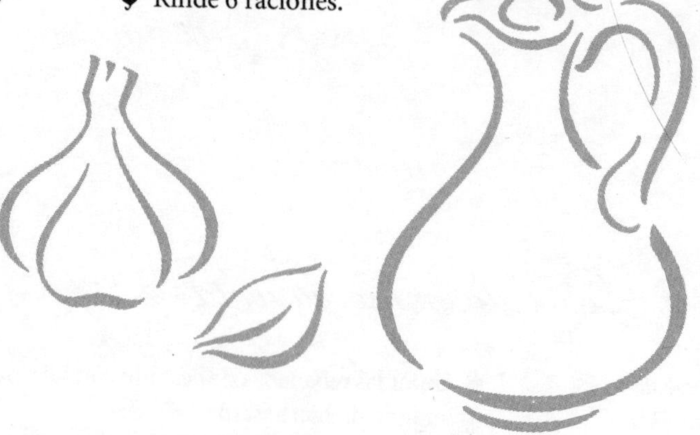

# IV
# Aves y Carnes
## AVES Y CARNES

Vegas, pastizales, potreros abundantes, laderas para el pastoreo, lo cierto es que no son escasas las tierras con que cuenta Chiapas para el desarrollo del ganado mayor y menor. Si se repara en ello y en la circunstancia de que, sin esfuerzo desusado, por igual obtiene abundantes cereales, verduras y hierbas, tal vez se pueda explicar el hecho de que su cocina parezca mostrar preferencia por los platillos que se consideran la entrada principal de la dieta cotidiana.

Así, en este apartado de aves y carnes, destacan quizá, entre las buenas recetas que se proponen, las derivadas del cerdo y sus múltiples aprovechamientos. Síntesis e integración de culturas, la cocina chiapaneca hace evidente la influencia española y la presencia indígena. También se hace patente que la manutención de todos los días, estacional pero abundante, está llena de posibilidades; la lista de platillos y sabores incitantes que ofrece la comida familiar en el sureste podría conformar, en verdad, un larguísimo documento.

Los platillos con frutas son, al parecer, un modo usual en la cocina del estado. El manchamanteles es ejemplo del caso, aunque también se acostumbra en otras regiones del país, donde igualmente se agregan las frutas locales. No se incluye en la sección una receta específica de platillo tan apreciado, pero una versión cercana –y muy recomendable– es la del "pollo en frutas" que se analiza. Ciruela pasa, piña, pasitas y un caudal de hierbas y vegetales dan cuerpo a esta receta que se pone a punto con vinagre y chile ancho.

Olla tapada se llama una distinta versión –contraparte– de la receta anterior. Originaria de Ocosingo, su sello tal vez muestra un tono más español por el uso del pimiento morrón, el azafrán, la canela, la pimienta y otras especias.

Del sureste son también las "chanfainas", gusto por las menudencias bien aprovechadas. La que se ofrece es de pavo y se sazona con chile ancho, multitud de especias, hierbas de olor y un toque local: el plátano macho.

La fórmula de un molito de iguana, sobre la base de pepita de calabaza y achiote, es sabrosa y nada picante; la receta es original y económica. Por su lado, el "conejo al zihuamonte" logra un buen mestizaje culinario con el chile cuaresmeño y el ajo y clavo europeos. Las bolitas de masa de maíz sirven de mexicana compañía. Cocina de cazadores, estilo culinario aprovechado desde Chihuahua hasta las selvas del sur, el zihuamonte chiapaneco aporta su refinada sazón.

Frijoles y puerco forman la siguiente combinación. Del Caribe al sureste resulta muy popular y es efectivamente sabrosa. El chipilín reaparece luego, como ingrediente básico de un apetitoso chirmol de puerco, que no olvida el jalapeño.

Continúan otras recetas que también saben aprovechar la carne de puerco. Con vinagre, chile ancho y especias debe marinarse y hornearse un

*No tienen las letras, las ciencias y las artes mayor enemigo que un lomo relleno, alimento macizo, compacto y de peso, que quita por tres días la tentación de pensar en cosas útiles.*

*El cuarto poder*
EMILIO RABASA

sabrosísimo "cochito". Salvador Novo rastreó el vocablo cochi del náhuatl, quiere decir dormir: el dormilón. En el sureste la palabra "cochito" se utiliza como sinónimo de lechón –lo cual trae a colación el afán de dormir y engordar del marranito– y los buenos guisos que llevan este nombre deben hacerse exclusivamente con la suave carne del puerco pequeño. Si a otra cosa se llama "cochito", engaño hay en tal nombre.

Catalana de origen, mas ya sancristobalense, es la receta para preparar la butifarra que viene enseguida. Brandy, nuez moscada y vinagre dan vida a esta selecta charcutería. También de España llegó, y se transformó, una cervantina olla podrida, aquí ricamente simplificada y con notables rasgos locales, tales como el uso del chipilín y del frijol escumite.

En frío y de larga conservación se presentan dos nutritivas y prácticas recetas: el queso de puerco y una galantina con carnes de guajolote, gallina, puerco y derivados. Fiambres cardenalicios.

De la res casi todo se aprovecha o se puede aprovechar. Platillo excepcional es una buena lengua, y más aún en un célebre recaudo, en pebre, a base de especias, rajas de chile y verduras.

Achiote, arroz y semilla de calabaza dan cuerpo, acto seguido, a una pepita con tasajo, verdaderamente deleitable. Prosiguen unas tortitas de carne, populares en todo el país, en una versión regional que realza el aroma y sabor de las propicias albondiguillas con la hierbabuena y el achiote.

Hay más todavía. Prosigue la receta de unas lentejas bíblicas que, en la sana compañía de las costillas de res, no olvidan el chile ancho. Más compleja, en cambio, resulta la fórmula del estofado local. En él se incorporan aceitunas, ciruelas, almendras, chayotes, papas y una cascada de hierbas de olor.

Versión chiapaneca de la tinga es la que sabe combinar las carnes de guajolote con las de res, puerco y borrego, y las condimenta ampliamente con chile ancho, vinagre, hierbasanta y otras hierbas de olor.

Para terminar el despliegue de sus buenas carnes, el apartado regala los secretos de tres moles de sabia factura. El primero es un molito con puerco, el ninguijuti de origen zoque; el segundo, llamado de doña Melita, incluye el plátano macho entre sus ingredientes, y el tercero es la destacada fórmula de un "mole chiapaneco" de calidad.

# Pollo en frutas

- 1 *gallina cortada en piezas*
- 1/4 k *jitomate*
- 1/4 k *papas cortadas en cuadritos*
- 1/4 k *zanahorias en cuadritos*
- 8 *aceitunas*
- 8 *ciruelas pasas*
- 2 *cucharadas de pasas*
- 2 *cucharadas de vinagre*
- 2 *rebanadas de piña en cuadritos*
- 1 *cebolla chica*
- 1 *chayote cortado en cuadritos*
- 1 *chile ancho*
- · *hierbas de olor: laurel, tomillo y orégano*
- · *sal, al gusto*

❦ Lavar las piezas de la gallina, sazonar con sal, hierbas de olor y vinagre; dejar marinar durante quince minutos.

❦ Poner a cocer la gallina con todos los ingredientes (el chile ancho se remoja antes y se corta en pedacitos).

❦ Agregar una y media tazas de agua; cocer a fuego suave.

❦ Rinde 8 raciones.

***Receta de María Elena Zuarth de Sánchez***

# Chanfaina de pavo

- · *la sangre de un pavo*
- · *las patas y cabeza de un pavo*
- 1/4 *pechuga de guajolote*
- 1 *trozo de grasa (gordito) de guajolote*
- 2 *chiles anchos medianos*
- 1 *hígado*
- 1 *molleja*
- 2 *cucharadas de manteca*
- 1 *cucharada de harina*
- 2 *dientes de ajo*
- 2 *plátanos machos (verdes)*
- 1 *cebolla chica*
- 1 *clavo*
- 1 *jitomate grande*
- 1 *pimienta*
- 1 *raja de canela*
- 1 *ramita de orégano*
- · *sal, al gusto*

❦ Cocer la sangre en agua con sal y partir en cuadritos chicos.

❦ Desvenar un chile ancho, asarlo y remojarlo en agua tibia. Cocer las piezas del pavo en agua suficiente.

❦ Licuar cebolla, ajo, jitomate y el otro chile ancho con un poco del caldo en que se cuece el pavo. Freír en manteca caliente y agregar a la olla del pavo junto con los cuadritos de sangre.

❦ Pelar el plátano macho e incorporarlo. Dejar hervir hasta que se suavice. Agregar las demás hierbas de olor.

❦ Para espesar el caldo, se utiliza harina.

❦ Rinde 10 raciones.

***Receta de Francisca Mendoza V.***

## Iguana en mole de calabaza

- 1 *iguana partida en piezas*
- 1/4 k *jitomate*
- 1/4 k *semillas de calabaza (molidas)*
- 6 *dientes de ajo*
- 6 *pimientas chicas*
- 3 *clavos*
- 1 *rama de epazote*
- 1 *rama de tomillo*
- 1 *pedazo de achiote*
- 1/2 *cebolla*
- · *masa*
- · *sal*

- Se lava muy bien la iguana y se pone a cocer con la rama de epazote, sal y cebolla.
- Freír los jitomates, cebollas, ajos, pimienta, clavos y tomillo; agregar las semillas de calabaza, el achiote y la masa, al gusto; licuar con el caldo de la iguana.
- Dorar una rodaja de cebolla, sacar y dejar caer las piezas de la iguana. Freír y, a continuación, agregar todo lo licuado y dos tazas de caldo.
- Hervir a fuego lento. Sazonar al gusto y agregar picante, si se desea.
- Rinde 8 raciones.

**Receta de Bertha Ortega de Aparicio**

## Conejo al zihuamonte

- 1 *conejo*
- 1/4 *taza de masa de maíz*
- 3 *cucharadas soperas de aceite*
- 5 *clavos*
- 2 *chiles cuaresmeños*
- 2 *dientes de ajo pelados*
- 2 *jitomates medianos*
- 2 *papas medianas peladas en cuadritos*
- 1 *cebolla chica*
- 1 *chile ancho (o chamborote)*
- 1 *rama de epazote*
- 6 *pimientas chicas*
- · *sal, al gusto*

- Limpiar el conejo, quitarle las vísceras y partirlo en piezas grandes. Colocarlas en una charola sin grasa y meterlas al horno a que doren .
- Ya doradas, cocerlas con sal y suficiente agua. Al final, agregar papas, clavos y el chile verde entero.
- Freír los ajos en una sartén con tres cucharadas soperas de aceite, retirar. Dorar la cebolla, agregar el jitomate y el conejo cocido.
- Moler el chile ancho (sin semillas ni venas) y freírlo con lo anterior. Agregar un poco de masa de maíz disuelta en caldo de conejo, para espesar.
- Mover para evitar que se formen grumos; añadir la rama de epazote y las pimientas; dejar hervir hasta que esté cocido el conejo.
- Se sirve caliente, en platos hondos.
- Rinde 10 raciones.

**Receta de Bernardina Elías de Valdés**

## Carne de puerco con frijoles

- 1/2 k *carne de puerco*
- 1/4 k *frijoles*
- 5 *pimientas negras*
- 2 *dientes de ajo*
- 1 *chile ancho*
- 1 *jitomate*
- 1 *rama de epazote*
- · *chiles en vinagre*
- · *sal, al gusto*

- Cocer la carne y los frijoles por separado.
- Licuar jitomates, ajo y pimientas con el chile ancho remojado.
- Revolver con la carne y el frijol cocido, dejar cocer quince minutos a fuego lento con los chiles en vinagre y epazote. Sal, al gusto.
- Rinde 8 raciones.

**Receta de Hermila Bermúdez**

## *Frijoles en chipilín y puerco con chirmol*

| | |
|---|---|
| 1 k | espinazo de puerco y carne maciza |
| 1 k | jitomate |
| 1 k | frijoles cocidos (de la olla) |
| 3 | dientes de ajo |
| 1/2 k | cebolla |
| 2 | chiles jalapeños |
| 2 | manojos de chipilín |
| · | aceite |
| · | sal, al gusto |

- Cocer la carne con ajos y sal. Freír las hojas de chipilín, cebolla, chiles y jitomates (todo picado).
- Agregar los frijoles ya cocidos, poner sal si hace falta; cuando estén cocidas las hojitas, sacar del fuego y servir con la carne y el caldillo.
- Rinde 15 raciones.

***Receta de Elizabeth Esquinca Zabadúa***

## *Cochito al horno*

| | |
|---|---|
| 2 k | carne de puerco |
| 20 | pimientas gruesas |
| 2 | tazas de vinagre |
| 4 | chiles anchos |
| 4 | dientes de ajo |
| 1 | cebolla |
| 1 | lechuga |
| 1 | rajita de canela |
| 1 | ramita de orégano |
| 1 | ramita de tomillo |
| · | sal, al gusto |

- Picar la carne para que le penetren los condimentos.
- Agregarle chile ancho, pimientas, canela, tomillo, orégano y sal previamente licuados con el vinagre; dejarla reposar toda la noche. Al día siguiente añadir agua hasta cubrir la carne, meterla al horno durante hora y media aproximadamente.
- Adornar el platillo con cebolla y lechuga picadas, aderezar con sal y vinagre. Acompañar con arroz y frijoles molidos.
- Rinde 12 raciones.

***Receta de María el Carmen Jiménez A.***

## *Butifarra*

| | |
|---|---|
| 1 1/2 k | carne de puerco molida |
| 1 1/2 | metros de tripa de puerco |
| 25 | semillas de cilantro |
| 4 | copas de brandy |
| 1/4 | taza de vinagre |
| 2 | cucharadas de pimientas chicas |
| 1 | cucharada de anís |
| 1 | cucharada de sal |
| 1/2 | cucharada de nuez moscada |
| 10 | hojas de laurel |
| 1 | manojo de orégano |

- Moler finamente nuez moscada, pimienta, orégano, anís, sal y semillas de cilantro. Revolver con la carne; añadir una copa de brandy y vinagre.
- A la tripa se le pone un poquito de brandy y se deja en salmuera para que resbale la carne; se corta en pedazos de 30 cm y se rellenan con la carne.
- Se pican con una aguja para que al cocerse no les entre aire y se revienten. Amarrar los extremos.
- Se pone agua al fuego con hojas de laurel y el resto del brandy. Al soltar el hervor, se agregan las butifarras (en olla de presión, durante 15 minutos; en olla normal, 45 minutos).
- Rinde 15 raciones.

***Receta de Dora Luz Guillén Velasco***

## Olla tapada

| | |
|---|---|
| *1 k* | *pollo* |
| *1* | *taza de chícharos cocidos* |
| *1* | *taza de vinagre* |
| *1* | *taza de vino blanco* |
| *1/2* | *taza de aceitunas* |
| *1/2* | *cucharadita de orégano* |
| *1/2* | *cucharadita de tomillo* |
| *4* | *chayotes* |
| *4* | *papas* |
| *3* | *clavos* |
| *3* | *jitomates picados* |
| *3* | *pimientas* |
| *2* | *hojas de arrayán* |
| *2* | *hojas de laurel* |
| *1* | *cebolla picada* |
| *1* | *cucharada de canela molida* |
| *1* | *pimiento morrón en rajas* |
| *1* | *pizca de azafrán* |
| · | *sal, al gusto* |

- Limpiar el pollo y cortarlo en piezas pequeñas; pelar y rebanar las verduras.
- En una cazuela extendida y honda, colocar una capa de pollo y una de verduras y hierbas de olor y así sucesivamente; al final añadir el vinagre y el vino blanco. Tapar la cazuela y cocer en el horno.
- Adornar con rajas de pimiento y chícharos cocidos.
- Rinde 10 raciones.

**Receta de Amparo Aguilar Alvarez**

## Queso de puerco

| | |
|---|---|
| *1* | *cabeza de puerco* |
| *1* | *taza de cebolla* |
| *1* | *taza de vinagre* |
| *1/2* | *taza de perejil* |
| *1* | *cucharada de tomillo* |
| *1* | *cucharada de pimienta chica* |
| *1* | *cucharada de nuez moscada* |
| *1* | *cabeza de ajo* |
| · | *sal, al gusto* |

- Cocer la cabeza en olla de presión durante 25 minutos con sal, cebolla y ajo; ya cocida, sacar y cortar en trocitos pequeños; colarla sobre un cazo.
- Licuar perejil, tomillo, pimienta, nuez moscada y vinagre y agregar a la preparación anterior.
- Poner en el fuego a que hierva todo junto, hasta que se consuma. Retirar y colocar en una manta formando una rueda, amarrar y prensar en una tabla con un objeto pesado arriba. Dejar enfriar. Rebanar.
- Rinde 20 raciones.

**Receta de Ana María Gómez**

Chiapas

# Lengua en pebre

- 1 *lengua de res*
- 250 g *pasitas*
- 1/2 *taza de aceitunas*
- 4 *pimientas chicas*
- 3 *chayotes*
- 3 *dientes de ajo*
- 3 *ramas de orégano*
- 3 *ramas de tomillo*
- 3 *papas*
- 3 *zanahorias*
- 2 *cebollas*
- 2 *clavos*
- 2 *jitomates*
- 1 *lata de chiles en rajas (rojos)*
- 1 *plan blanco*
- 1 *raja de canela*
- · *aceite*

- Cocer la lengua y cortarla en rebanadas.
- Cocer por separado las zanahorias, las papas y los chayotes.
- Sazonar en aceite las cebollas rebanadas, ajos, ramas de tomillo y de orégano, canela, pimienta y clavos.
- Añadir los jitomates licuados, dejar hervir y agregar pasitas, aceitunas y rajas.
- Moler el pan blanco y agregar el recaudo con media taza de caldo de la lengua, dejar hervir diez minutos.
- En otro recipiente colocar una capa de zanahorias, chayotes y papas y enseguida la lengua, agregándole el recaudo.
- Rinde 12 raciones.

***Receta de María Elena Paniagua***

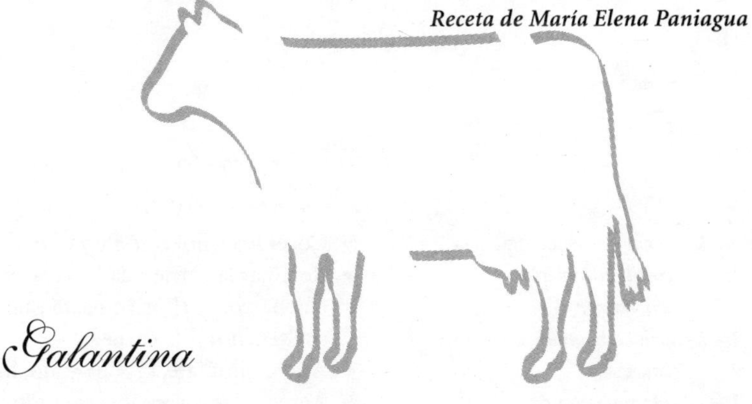

# Galantina

- 1 *guajolote (7 k)*
- 2 k *carne de puerco en trozos, sin grasa*
- 1 k *carne de gallina, sin grasa*
- 100 g *almendra picada*
- 1/2 *litro de vino blanco*
- 1 *lata de chile morrón picado*
- 1 *lata grande de jamón endiablado*
- 1 *taza de aceitunas picadas*
- 5 *cucharadas de salmitro*
- 4 *huevos*
- · *tomillo, laurel, mejorana,*
- · *orégano y pimienta, al gusto*

- Deshuesar el guajolote, abrirlo por la mitad a lo largo, cuidando de no romper la piel; poner pimienta y dejar en salmuera durante seis horas.
- Moler la carne de puerco y de gallina; añadir huevos, morrón, almendras, aceitunas, jamón endiablado, sal y pimienta. Revolver. Rellenar el guajolote con esta preparación.
- Coserlo con cáñamo y envolverlo en una manta; cocer en agua con hierbas de olor y vino blanco durante hora y media. Dejar enfriar, quitar la manta y rebanar. Se sirve frío.
- Rinde 25 raciones.

***Receta de Candy de Martínez***

## Pepita con tasajo

| | |
|---|---|
| 1 k | *tasajo* |
| 125 g | *semilla de calabaza (dorada y molida)* |
| 125 g | *manteca de cerdo* |
| 2 | *cucharadas soperas de arroz (remojado)* |
| 2 | *jitomates* |
| 1/4 | *taza de achiote* |
| 1/4 | *cebolla mediana* |

- Cocer el tasajo. Licuar el arroz y el achiote con caldo suficiente, procurando que espese.
- En una sartén con suficiente manteca freír jitomate y cebolla licuados y, enseguida, agregar el arroz con achiote (colado), moviendo un poco. Al final añadir la pepita disuelta en caldo y colada.
- Se sigue moviendo para que no se pegue y se cueza bien. Se puede añadir más manteca para que continúe hirviendo; la salsa no debe quedar muy espesa.
- Servir el tasajo con la salsa de pepita encima.
- Rinde 5 raciones.

***Receta de Demetria Sánchez de Ruiz***

## Olla podrida

| | |
|---|---|
| 1/2 k | *carne de res salada* |
| 1/2 k | *costilla de puerco* |
| 1/2 k | *chicharrón* |
| 1/4 k | *frijol escumite* |
| 2 | *chorizos* |
| 1 | *jitomate grande* |
| 1 | *manojo de chipilín* |
| · | *cebolla, ajo y sal, al gusto* |

- Cocer los frijoles con una pizca de sal, cebolla y ajos.
- Remojar la carne salada, lavar y hervir; cocer las costillas de puerco, chicharrón y chorizo hasta que se consuma el agua; en la grasa que suelten, dorar la carne.
- Asar el jitomate, cebolla y ajo; licuar y freír en la grasa que quedó.
- Agregar las carnes y el recaudo frito a la olla de frijoles previamente cocidos; por último, añadir el chipilín. Después de un hervor, retirar y servir.
- Rinde 12 raciones.

***Receta de Bernarda Rosales de Chacón***

## Tortitas de carne

| | |
|---|---|
| 1/2 k | *carne de res* |
| 1 | *litro de caldo de res* |
| 1 | *cucharada de harina* |
| 1/2 | *cucharada de hierbabuena* |
| 3 | *pimientas* |
| 2 | *cebollas chicas* |
| 2 | *dientes de ajo* |
| 2 | *jitomates medianos* |
| 2 | *huevos* |
| 1 | *clavo* |
| · | *aceite* |
| · | *canela* |
| · | *sal y achiote, al gusto* |

- Cocer la carne, picarla y mezclarla con una cebolla, un jitomate y hierbabuena; añadir los huevos y revolver. Formar tortitas y freírlas en aceite caliente.
- Rinde 6 raciones.

**Caldillo**

- Acitronar la cebolla picada, agregar jitomate, ajos, pimienta, clavos y canela molidos.
- Añadir el caldo; ya que hirvió, poner una ramita de hierbabuena y sal, al gusto.
- Agregar la harina y el achiote licuados a que quede un caldillo espeso. Cuando hierva, ponerle las tortitas de carne.

***Receta de Leticia Orantes Pascacio***

## Estofado de res

- 1 k *carne de res en trozos*
- 100 g *ciruela*
- 100 g *pasas*
- 50 g *almendras*
- 3 *litros de agua*
- 2 *cucharadas de vinagre*
- 1/2 *cucharadita de orégano*
- 8 *pimientas blancas*
- 4 *papas grandes en trozos*
- 4 *ramitas de tomillo*
- 3 *chiles verdes*
- 3 *clavos*
- 3 *dientes de ajo*
- 3 *jitomates grandes*
- 2 *chayotes en rebanadas*
- 2 *rebanadas de cebolla*
- 1 *ramita de perejil*
- · *aceitunas, al gusto*
- · *achiote, al gusto*
- · *sal, al gusto*

- Cocer la carne en agua con sal, clavos, ajos, pimienta, orégano, tomillo, jitomate rebanado, cebolla, vinagre, achiote (hasta que el agua quede más o menos rosada).
- Cuando la carne esté a medio cocer, agregar chayotes, papas, chiles, aceitunas, almendras (peladas), pasas, ciruelas y perejil.
- Dejar cocer y servir caliente.
- Rinde 10 raciones.

## Tinga chiapaneca

- 1 1/2 k *carne de guajolote*
- 1 k *gallina*
- 1/2 k *carne de borrego*
- 1/2 k *carne de puerco*
- 1/2 k *carne de res*
- 1/2 k *jitomate*
- 4 *dientes de ajo*
- 3 *hojas de hierbasanta*
- 3 *pimientas*
- 2 *chiles anchos*
- 2 *ramitas de tomillo*
- 1 *cucharada de orégano*
- 1 *rama de laurel*
- 1 *trozo de canela*
- 1/2 *cebolla*
- 1/4 *taza de vinagre*

- Partir toda la carne en trozos, ponerlos en una cazuela de barro; agregar hojas de laurel desmenuzadas y hojas de hierbasanta.
- Remojar en agua tibia los chiles anchos, molerlos con jitomate y demás ingredientes.
- Agregar lo molido a la carne, revolviendo para que se impregne de recaudo; tapar la cazuela.
- Cocer en el horno durante dos horas a 250ºC.
- Rinde 30 raciones.

***Receta de Gloria Zenteno Laflor***

## *Mole de doña Melita*

| | |
|---|---|
| 16 | *chiles anchos* |
| 25 | *pimientas* |
| 2 | *cucharadas de azúcar* |
| 2 | *dientes de ajo* |
| 2 | *jitomates grandes, sin cáscara* |
| 1 | *bolillo frío, frito* |
| 1 | *cebolla* |
| 1 | *plátano macho rebanado* |
| 1 | *raja de canela* |
| · | *caldo de pollo* |
| · | *manteca de cerdo* |
| · | *sal, al gusto* |

- Remojar los chiles desvenados y sin semillas en agua caliente con azúcar, durante una hora. Escurrir y secar con una manta.
- Calentar la manteca y freír los chiles, la cebolla en rebanadas, el plátano, canela, ajo y pimienta. Retirar de la sartén.
- Freír el jitomate molido (cuando forma burbujas se encuentra en su punto).
- Licuar el bolillo (remojado previamente en caldo de pollo) con el resto de los ingredientes; colar esta preparación sobre el jitomate, y mover constantemente para que no se pegue.
- Agregar sal y azúcar, al gusto.
- Rinde 15 raciones.

***Receta de Bernardina Elías de Valdés***

## *Mole chiapaneco*

| | |
|---|---|
| 1 k | *jitomate rebanado y frito* |
| 1/4 k | *chile ancho* |
| 1/4 k | *chile mulato* |
| 125 g | *ajonjolí frito* |
| 100 g | *pasitas fritas* |
| 3 | *piezas de pan dulce frito* |
| 1 | *plátano macho frito* |
| 1 | *tortilla de maíz frita* |
| 1/4 | *cebolla rebanada y frita* |
| · | *aceite* |
| · | *caldo de gallina o guajolote* |
| · | *sal, al gusto* |

- Desvenar los chiles y freírlos, remojarlos en el caldo caliente de la gallina, que ya estará cocida con cebolla y sal.
- Freír aparte los demás ingredientes, uno por uno, poniéndolos por separado.
- Licuar los chiles con el caldo y colar en una olla grande, donde habrá suficiente aceite caliente.
- Licuar y colar el jitomate y la cebolla; después, los demás ingredientes. (Para licuar se utiliza el caldo y se agrega sal al gusto.)
- Dejar en la lumbre, a fuego lento, hasta que el mole espese un poco y tenga buen sabor.
- Rinde 20 raciones.

***Receta de Elizabeth Esquinca Zebadúa***

# Costilla con lentejas

*1 k costilla de res*
*1/2 k lentejas*
*1/4 k jitomate*
*2 dientes de ajo*
*2 pimientas*
*1 clavo*
*1 chile ancho chico*
*1 hoja de laurel*
*1 ramita de tomillo*
*1/2 cebolla chica*

- Hervir la costilla; en otro recipiente, las lentejas; ya que estén bien cocidas, agregar las hojas de laurel y tomillo. Juntar todo.
- Licuar los demás ingredientes; añadir las lentejas y la costilla, dejar hervir durante media hora. Servir.
- Rinde 8 raciones.

***Receta de Concepción Algarín de Zapata***

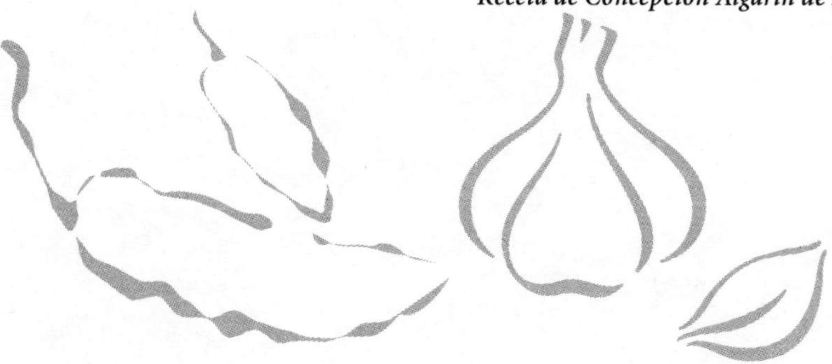

# Ninguijuti (molito con puerco)

*1/2 k carne de puerco*
*1/2 k espinazo de puerco*
*3/4 taza de masa*
*3 dientes de ajo*
*2 cucharadas de achiote*
*2 jitomates*
*2 limones*
*· chile picante, al gusto*
*· sal, al gusto*

- Partir en trocitos pequeños el espinazo y la carne de puerco.Cocer en poca agua. Retirar del caldo cuando esté suave. Dorar en dos cucharadas de manteca.
- Licuar tomate, ajos, chile y achiote. Dejar caer sobre la carne frita; agregar el caldo, la masa batida y el jugo de limón, dejando que sazone bien. Poner sal al gusto.
- Rinde 8 raciones.

***Receta de Magdalena Paniagua de Figueroa***

# VERDURAS

A la manera de un pequeño y refrescante paréntesis, entre el apartado de los platos fuertes y el de los famosos postres chiapanecos, se presentan aquí unas cuantas sugerencias como muestra breve del huerto chiapaneco y de las excelencias de su cocina.

Igual que en Brasil y vastas regiones del continente africano, donde son muy populares, los tiernos palmitos se ofrecen al buen gusto del apetito local.

Se sirven, entre otros modos, con vinagre de piña y resultan deliciosos, o revueltos con huevos tiernos, lo que da al platillo calidad de finísimo manjar.

Frijoles, chicharrón y plátano macho verde, igual que en otras partes del sureste, son los ingredientes de la tsata que se condimenta con ajo y epazote.

También compartido con las entidades vecinas se sirve el putznick, platillo de origen zoque a base de la flor de mata ratón o cutunuck, que solamente se da en los meses de marzo y abril.

En el norte del estado, durante la primavera, sobre la superficie de los árboles caídos, crece el cusuche. Denominación regional de un hongo que constituye otra suprema delicadeza vegetal. Junto con rebanadas de plátano macho verde, estos hongos se amalgaman con hojas de momo, chiles dulces y jalapeños, todo envuelto en hoja de maíz, como tamal, y cocido en vaporera.

Para cerrar, la última receta del apartado da cuenta de unos frijoles negros con chipilín, platillo conocido por su nombre indígena como soc socpojin.

*Olores a pimienta*
*y otras especias raras*
*se acuestan en el aire ...*

*Tiempo de la segunda hierba*
JUAN BAÑUELOS

## Palmito en vinagre

- 1 *palmito rebanado*
- 3 *cucharadas de aceite de oliva*
- 3 *cucharadas de vinagre de piña*
- · *sal, al gusto*

- Quitar al palmito las partes duras. Cocer el corazón durante 10 minutos y picarlo finito.
- Añadir sal, vinagre de piña y aceite de oliva.
- Dejar reposar unos minutos. Servir
- Rinde 6 raciones.

***Receta de Silvia Arellano García***

## Palmito con huevo

- 1 *corazón de palmito picado finamente*
- 5 *huevos*
- 3 *cucharadas de mantequilla*
- · *sal, al gusto*

- Picar el corazón del palmito y cocerlo en agua con sal durante diez minutos. Escurrir y freír en mantequilla.
- Agregar los huevos batidos ligeramente, mezclar con el palmito; cuando cuaje, retirar y servir.
- Rinde 6 raciones.

***Receta de María del Carmen Jiménez A.***

## Tsata

- 300 g *frijoles*
- 100 g *chicharrón*
- 1 *diente de ajo*
- 1 *plátano macho verde*
- 1 *rama de epazote*
- · *aceite*

- Cocer los frijoles. Freírlos en aceite caliente, sin machacarlos, en su propio caldo. Licuar el plátano verde y agregarlo a los frijoles.
- Añadir ajo picado y el chicharrón en trozos pequeños. Se deja a fuego lento. Retirar cuando el chicharrón esté suave. Agregar la rama de epazote. Servir.
- Rinde 8 raciones.

***Receta de Carmina González de Gómez***

## Putznick (comida zoque)

- 1 *taza de cutunuck (o flor de mata ratón)*
- 1/2 *taza de pepita de calabaza*
- 2 *huevos*
- 1 *cebolla chica*
- 1 *jitomate*
- · *aceite*
- · *chile*

- Poner a cocer el cutunuck en agua con sal; escurrir y exprimir bien.
- Freír el jitomate picado, el chile y las pepitas de calabaza. Agregar el cutunuck, revolver para que sazone y añadir los huevos previamente batidos. Cuando cuajen, retirar y servir luego.
- Rinde 4 raciones.

## Cusuche (hongos)

| | |
|---|---|
| *1 k* | *cusuche (hongos)* |
| *350 g* | *jitomate* |
| *150 g* | *manteca de cerdo* |
| *2* | *chiles dulces* |
| *2* | *hojas de momo (hierbasanta)* |
| *1* | *hoja de plátano* |
| *1* | *plátano macho verde* |
| *1/2* | *cebolla mediana* |
| · | *chiles jalapeños, al gusto* |
| · | *papel de aluminio* |
| · | *sal, al gusto* |

- Lavar perfectamente los hongos y quitarles el tronco.
- Rebanar cebolla, jitomate, chiles, plátano y hongos, mezclar con manteca y sal.
- Asar ligeramente la hoja de plátano, extender sobre ella todos los ingredientes. Envolver en forma de tamal y forrar con papel de aluminio.
- Cocer durante 45 minutos en una vaporera con agua.
- Rinde 10 raciones.

***Receta de María del Carmen Arias Cruz***

## Soc Socpojin (frijoles con chipilín)

| | |
|---|---|
| *350 g* | *frijoles negros cocidos* |
| *200 g* | *queso panela* |
| *2* | *cucharadas de manteca* |
| *1* | *cebolla grande picada* |
| *1* | *manojo de chipilín* |

- Calentar la manteca, acitronar la cebolla, agregar los frijoles machacados; cuando estén hirviendo, incorporar las hojas de chipilín bien lavadas.
- Cocinar a fuego lento hasta que las hojitas de chipilín estén cocidas.
- Servir con rebanadas de queso panela.
- Rinde 10 raciones.

***Receta de Ilse Araujo de Archila***

# Panes, Dulces y Postres

## PANES, DULCES Y POSTRES

Con la rica variedad de frutas de las microrregiones chiapanecas e infinitas formas de endulzar el gusto, es natural que este apartado del recetario familiar sea particularmente atractivo. Sabores perfectos, cumbres o delicadezas que fijan en la memoria para siempre el instante de paladearlas, panes y postres son un maravilloso regalo del arte culinario chiapaneco.

Dos gratos panes horneados abren el camino de esta selección. En la primera de las recetas, una de las mágicas fórmulas con que se preparan los riquísimos panecillos de San Cristóbal, surge como ingrediente peculiar el queso seco; mientras que en la segunda, la del pan de arena, lo que da realce al bizcocho es el jugo y raspadura de limón.

Nostalgias del paraíso, los sureños postres de frutas suelen tener aroma o sabor de trópico. Camote y naranja hacen una perfecta combinación en un sencillo dulce casero. Los plátanos melados o enmielados –con azúcar– y un toque de vinagre, constituyen otra receta económica y popular. Luego, siguiendo con las frutas tropicales, aparecen el dulce de papaya con sus rajitas de canela y el de nanche, con acompañamiento similar. Con los jocotes chapia se hace un postre muy conocido y mexicano; el endulzamiento pide azúcar morena. El cupapé es una variedad de fruta que debe remojarse y hervir, y añadirle luego piloncillo, azúcar y canela.

De climas templados y fríos, que también abundan en las tierras chiapanecas, surgen unos ricos duraznos que se venden como golosinas, prensados y endulzados con piloncillo. Se comprimen bajo tablas, se orean al sol por tres días y es aconsejable guardarlos luego en cajitas de madera.

Turuletes –que no turulatos– es el plural con que se designa a unas pastitas de harina de maíz con panela y mantequilla; se hornean como galletas pero luego deben ponerse a secar veinticuatro horas.

Con la sureña yuca se preparan unos "suspiros" de azúcar que, sin más, se derriten en la boca. Casi se escucha, entonces, el deslizarse río abajo de las aguas del Grijalva rumbo al Cañón del Sumidero.

De gusto más novohispano que europeo es la "sopa de vino", a base de brandy o ron con un marquesote de buen tamaño, o sea un bizcocho horneado, de huevo, al que hay que añadir todavía yemas de huevo, vainilla, jarabe y almendras. Huevos chimbos, ejemplo de la más delicada manufactura, es el nombre de la siguiente golosina: básicamente se trata de una buena cantidad de yemas batidas y horneadas con su toque de azúcar y canela.

Para un paseo o un buen café, los "nuégados" –o nuéganos, aunque no lleven nada de nuez– son una excelsa fórmula: harina y huevos; con la masa se preparan tortitas que se fríen en manteca; se espolvorean de carmín y azúcar: terminan recomendables a más no poder. Para una ocasión más formal, pero igualmente recomendable, se ofrece el "brazo de gitano", verdadero pastel-envoltorio con "un" su vasito de brandy para el mejor efecto.

Para terminar el apartado, que como se podrá observar resulta un valioso muestrario de las gemas de la dulcería chiapaneca, se incluye un dulce zoque: el pusxinú, a base de maíz de guinea, o sea maíz palomero, que se dora en aceite y se revuelve con miel de panela o de azúcar morena.

*El día baja de los cerros con las vendedoras de frutas...*

*Desde esta orilla*
OSCAR OLIVA

## Panes de San Cristóbal

| | |
|---|---|
| 300 g | *harina* |
| 250 g | *manteca* |
| 200 g | *azúcar* |
| 150 g | *mantequilla* |
| 150 g | *queso seco molido* |
| 7 | *huevos* |
| 2 | *cucharadas de sal* |
| 1 | *cucharada de levadura* |
| 1/4 | *taza de agua fría* |
| · | *mantequilla* |

- Remojar la levadura en un cuarto de taza de agua fría, agregar dos cucharadas de sal; tan pronto se disuelva, añadir harina para preparar una pasta consistente; engrasar con manteca y dejar en reposo hasta que suba al doble.
- Amasar junto con los demás ingredientes hasta formar una pasta ni muy fina ni muy seca. El batido se hace con las manos. El queso debe estar bien molido.
- Vaciar la mezcla en moldes engrasados y dejar en reposo; cuando haya subido un poco, hornear a 250oC, más o menos, durante 50 minutos.
- Rinde 8 raciones.

## Pan de arena (bizcocho chiapaneco)

| | |
|---|---|
| 1/2 k | *harina* |
| 375 g | *azúcar* |
| 375 g | *mantequilla* |
| 6 | *huevos* |
| 1/4 | *taza de jugo de limón* |
| 1/4 | *taza de leche* |
| 1 1/2 | *cucharadas de bicarbonato* |
| 1 | *cucharada de raspadura de limón* |
| · | *mantequilla y harina* |

- Incorporar harina, azúcar y mantequilla en un recipiente hondo.
- Batir fuerte golpeando la masa en el fondo del recipiente; agregar los huevos uno por uno, batiendo constantemente; añadir el jugo de limón al igual que su raspadura y, por último, la leche en la que se disolvió el bicarbonato.
- Vaciar la mezcla en moldes engrasados y enharinados; hornear con calor moderado hasta que doren.
- Rinde 8 raciones.

***Receta de Bertha Ortega de Aparicio***

## Duraznos-pasa o prensados

| | |
|---|---|
| 2 | *cucharadas de cal o la ceniza necesaria* |
| 50 | *duraznos de cualquier clase, menos priscos (que la cáscara esté verde)* |
| · | *azúcar o piloncillo* |

- En un cazo o perol, de preferencia de cobre, poner agua con cal o ceniza; cuando hierva, se van metiendo los duraznos, uno por uno.
- Después de que den un hervor se pasan a otro recipiente con agua fría para quitarles la pelusa.
- En el mismo perol, bien lavado, poner más o menos tres litros de agua con la cantidad exacta de azúcar o piloncillo y la fruta; cocer a fuego lento hasta que tenga punto de bola; retirar del fuego.
- Ya que están fríos, con las yemas de los dedos se les retira todo el sobrante de miel; se colocan sobre tablas y se sacan al sol durante tres días. Se acomodan sobre papel encerado y se guardan en cajitas de madera, procurando que éstas tengan tapa.
- Rinde 25 raciones.

***Receta de Luz Yannini de Sánchez***

# Plátanos melados

| | |
|---|---|
| 4 | *plátanos (machos) cortados en pedazos* |
| 2 | *tazas de azúcar* |
| 1/2 | *taza de agua* |
| 1/4 | *taza de aceite* |
| 1/2 | *cucharada de vinagre* |

- Hervir el agua con azúcar y vinagre, a punto de bola dura.
- Freír los plátanos durante dos minutos.
- Colocar los plátanos en la miel caliente. Dejar enfriar.
- Rinde 6 raciones.

***Receta de Ilse Araujo de Archila***

# Dulce de papaya

| | |
|---|---|
| 1 1/2 k | *papaya verde (no muy dura)* |
| 2 | *tazas de azúcar* |
| · | *canela en rajas* |

- Pelar la papaya y quitarle las semillas; partirla en rebanadas chicas.
- Hervir el azúcar con la canela en un poco de agua para preparar un jarabe ligero; añadir la fruta con mucho cuidado para no romperla.
- Dejar hervir a fuego bajo durante 30 minutos; enfriar y servir.
- Rinde 6 raciones.

***Receta de María Sánchez Yannini***

# Dulce de nanche

| | |
|---|---|
| 1 k | *nanches maduros* |
| 1 k | *azúcar* |
| 4 | *tazas de agua* |
| 4 | *rajas de canela* |

- Cocer los nanches, cambiándoles dos veces el agua. Cuando ya estén fríos, exprimir uno por uno y colocarlos en un recipiente.
- Ponerlos a fuego lento con azúcar, cuatro tazas de agua y canela hasta que se consuma la miel. Retirar. Colocarlos en una dulcera. Se sirven fríos.
- Rinde 10 raciones.

# Dulce de camote y naranja

| | |
|---|---|
| 1 k | *camote* |
| 3/4 k | *azúcar* |
| 1/2 | *litro de jugo de naranja* |
| · | *canela molida* |

- Los camotes se lavan y se cuecen con cáscara. Pelarlos y cernirlos para que no queden hebras.
- Este puré se pone en el fuego con el jugo de naranja y el azúcar, moviéndolo constantemente para que no se pegue.
- Cuando se encuentre a punto, o sea, que se pueda ver el fondo del cazo, se retira. Servirlo en un platón y espolvorear con canela.
- Rinde 8 raciones.

***Receta de Bernardina Elías de Valdés***

## Dulce de jocote chapia

| | |
|---|---|
| 1 k | *jocotes chapia maduros* |
| 1 k | *azúcar morena* |

- Cocer los jocotes, cambiándoles dos o tres veces el agua para disminuir el ácido; escurrir.
- Hervir azúcar y una taza de agua para preparar almíbar. En él se colocan los jocotes a que se impregnen. Hervir cinco minutos y retirar del fuego. Se sirven fríos.
- Rinde 10 raciones.

## Cupapé en dulce

| | |
|---|---|
| 2 k | *cupapé* |
| 1 k | *azúcar* |
| 1 | *piloncillo (panela)* |
| · | *canela* |
| · | *agua de cal* |

- Pelar y rallar el cupapé; dejarlo remojando en agua de cal durante una hora; lavarlo y ponerlo a hervir.
- Cuando esté cocido, agregar piloncillo, azúcar y canela; dejar consumir un poco.
- Rinde 12 raciones.

***Receta de Esperanza Serrano Vázquez***

## Turuletes

| | |
|---|---|
| 1/2 k | *harina de maíz* |
| 1/4 k | *mantequilla* |
| 1/2 | *taza de azúcar* |
| 1/2 | *taza de manteca* |
| 1/2 | *taza de piloncillo molido* |
| 8 | *huevos* |

- Revolver la harina de maíz con canela molida, azúcar, mantequilla, huevos y manteca. Batir muy bien.
- Verter la masa en moldecitos, llenando sólo la mitad de éstos; hornear a 200oC, durante 25 minutos.
- Ponerlos a secar durante 24 horas.
- Rinde 6 raciones.

***Receta de Lilia Moncayo Saavedra***

## Suspiros de Chiapa de Corzo

| | |
|---|---|
| 3 k | *azúcar* |
| 1 k | *manteca de cerdo* |
| 1 k | *yuca (mandioca)* |
| 5 | *huevos* |
| 1 | *cucharada de almidón* |

- Pelar la yuca y ponerla a cocer. Molerla en metate junto con el almidón, sin agua, y añadir los huevos para formar una pasta.
- En una sartén de barro poner la manteca al fuego y con una cuchara mediana de peltre dejar caer la pasta en forma de bolitas. Ya que se doren, sacarlas con un palito de tal manera que se les forme un agujero. Luego picarlas con un palillo.
- Por separado, de preferencia en un perol de cobre, poner azúcar con bastante agua al fuego. Tan pronto empiece a hervir, añadir las bolitas de pasta para que se cuezan a fuego lento hasta que se consuma la miel, pero sin moverlas; dejarlas enfriar antes de retirarlas del recipiente.
- Se sacan y se acomodan en una tabla, previamente cubierta de azúcar.
- Rinde 15 raciones.

## Sopa de vino

| | |
|---|---|
| 1 | *marquesote rebanado (suficiente para cubrir un platón)* |
| 1/2 k | *azúcar* |
| 100 g | *almendras limpias* |
| 1 | *taza de agua* |
| 1 | *taza de brandy o ron* |
| 1 | *vaso de leche* |
| 4 | *yemas de huevo* |
| 2 | *cucharadas de vainilla* |

- Acomodar las rebanadas de marquesote en un platón hondo, remojarlas con brandy.
- Poner en un cazo el azúcar con una taza de agua, hervir a punto de jarabe ligero, dejar enfriar.
- Agregar las yemas, una a una, sin dejar de batir; añadir la leche y la vainilla.
- Vaciar el jarabe sobre el marquesote; adornar con almendras tostadas.
- Rinde 6 raciones.

**Receta de Dolores Albores Vda. de Solórzano**

## Huevos chimbos

| | |
|---|---|
| 20 | *huevos* |
| 1 k | *azúcar* |
| 1 | *litro de agua* |
| 1 | *cucharada de harina* |
| 1 | *raja de canela* |
| · | *manteca* |

- Batir 18 yemas de huevo y dos huevos enteros con una cucharada de harina; batir durante 15 minutos (a punto de listón).
- Verter la mezcla en un molde previamente engrasado con manteca o mantequilla; poner al horno, a baño María, hasta que esté bien cocida, pero que no se dore. Cortar en cuadros pequeños y regulares.
- Hervir el agua con azúcar y canela, hasta tener una miel ligera. Dejar enfriar. Agregarla a los cuadros de huevos chimbos, hervir ligeramente a fuego muy lento. Servir cuando enfríen.
- Rinde 15 raciones.

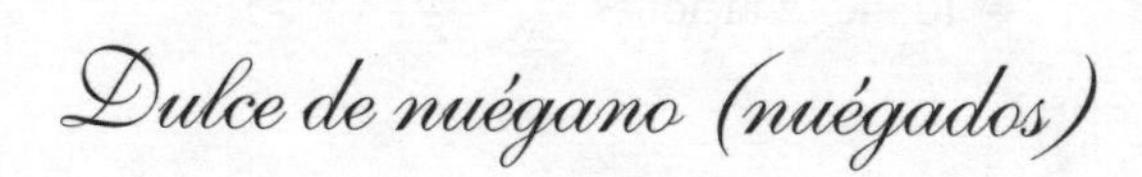

**Receta de Bernardina Elías de Valdés**

## Dulce de nuégano (nuégados)

| | |
|---|---|
| 1/4 k | *harina* |
| 2 | *tazas de azúcar para la miel* |
| 1 | *taza de agua* |
| 1/2 | *taza de azúcar* |
| 2 | *cucharaditas de polvo para hornear* |
| 2 | *huevos* |
| · | *agua de sal* |
| · | *carmín* |
| · | *manteca* |

- Amasar la harina con el polvo para hornear y los huevos; si queda muy seca, agregar un poco de agua de sal.
- Dejar reposar la masa hasta que se esponje. Después se corta en pedacitos que se extienden y aplanan con las yemas de los dedos; se van friendo en manteca caliente.
- Hervir la taza de agua con el azúcar; se pasan las tortitas por esta miel para que peguen. Se forma cada dulce con tres tortitas.
- Se revuelve el carmín con azúcar y se espolvorean los nuéganos de un solo lado.
- Rinde 6 raciones.

**Receta de Carmina González de Gómez**

## Brazo gitano

- *15 huevos*
- *2 tazas de azúcar*
- *2 naranjas ralladas*
- *· el jugo de dos naranjas*
- *1 taza de leche*
- *2 tazas de harina*
- *1 cucharada de vainilla*
- *1 copa de brandy*
- *1 taza de mermelada de chabacano*
- *1/4 k coco rallado*
- *100 g nuez*
- *1 frasco de cerezas, chico*
- *· papel de estraza*
- *· mantequilla*
- *· almíbar de naranja*

- Batir quince yemas de huevo con azúcar, a punto de listón; agregar la naranja rallada y el jugo de éstas; añadir la leche; incorporar en forma envolvente las claras batidas a punto de turrón.
- Añadir y revolver la harina y la vainilla (tener preparada una charola con papel de estraza cubierto de mantequilla).
- Vaciar la pasta en la charola y meter al horno a 250ºC durante quince minutos.
- Sacar el pan del molde y colocarlo sobre un lienzo húmedo, rociarlo de almíbar y brandy y, cubriéndolo con una capa de mermelada, se debe proceder a enrollar el pan. Cubrirlo con coco, nuez y cerezas.
- Rinde 20 raciones.

**Almíbar de naranja**

- Hervir las cáscaras de dos naranjas con una taza de azúcar, una raja de canela y tres cucharadas de agua, hasta que quede a punto de miel.

## Pusxinú (dulce zoque)

- *2 cucharadas de aceite*
- *1 k maíz palomero (o de guinea)*
- *1 k azúcar morena o piloncillo*
- *1 1/2 tazas de agua*

- Dorar el maíz en un recipiente con un poco de aceite hasta que revien-te (hacerlo poco a poco).
- Hervir el piloncillo o azúcar con el agua hasta que tome punto de bola; revolver con el maíz preparado; agregar la miel hasta que lo logre pegar.
- Acomodarlo sobre una tabla, dejando un espesor de cinco cm (conviene comprimir para que no se esponje).
- Cortar en cuadritos; servir con miel de maíz, si se desea.
- Rinde 12 raciones.

# Festividades

| Lugar y fecha | Celebración | Platillos regionales |
| --- | --- | --- |
| **TUXTLA GUTIÉRREZ**<br>(Capital del Estado)<br>*Abril 25* | **San Marcos Evangelista**<br>Fiesta Patronal con procesiones y juegos pirotécnicos; la celebración inicia el día *20*. | Chanfaina, sopa de arroz, queso enchilado, moronga, gorditas de frijol negro, olla podrida, puerco con adobo, enchiladas, sopa de chipilín, tasajo con pepita, pollo en azafrán.<br>Pictes de elote, jalea de capulín, cocadas, tártaras, compota de guayaba, camotes, trompadas, flan de yemas, nanches encurtidos.<br>Tascalate, pinole, aguas frescas, pozol blanco, cerveza dulce, café endulzado con piloncillo, chocolate, champurrado, aguardiente. |
| *Agosto 4* | **Santo Domingo de Guzmán**<br>En el barrio de Santo Domingo se celebra con una feria que inicia el día primero del mes. | Queso relleno, sopa de pan, longaniza, olla podrida, taquitos de plátano, tamales de juacané, cochito al horno, chanfaina, puerco con arroz, frijoles con chipilín.<br>Budín de maíz, suspiros de yuca, caramelo de miel virgen, camotes, tamales de dulces, buñuelos, jamoncillos, dulces de leche, temperantes, melcochas, ates, chimbos, marquesotes, roscas de frutas.<br>Pinole, atoles, chocolate, aguas frescas, cerveza dulce, champurrado, aguardiente, tascalate, pozol blanco. |
| **AMATENANGO DEL VALLE**<br>*Diciembre 13* | **Santa Lucía**<br>Fiestas en honor de la Santa Patrona de la localidad; todos veneran su imagen y la festejan con ofrendas, música y danzas. | Olla podrida, longaniza, enchiladas, tortitas de plátano verde, gordas de frijol negro, moronga, cochito al horno, enchiladas, sopa de fideos, tamales de hoja de cambrayas, tasajo con pepita.<br>Dulces cristalizados, cocadas, buñuelos, pictes de elote, flan de yemas, ates, curtidos de fruta en almíbar, jaleas, trompadas, compota de guayaba, camotes, jocotes, nanches encurtidos.<br>Pinole, tascalate, ponche de frutas, cerveza dulce, aguas frescas, atole, chocolate, champurrado, aguardiente, café de olla. |
| **COMITÁN**<br>*Febrero 11* | **San Caralampio**<br>Vistosas ceremonias en honor a uno de los santos más venerados de la región. Fieles provenientes de sitios distantes acuden en peregrinación hasta su altar y le demuestran su devoción a través de oraciones, danzas y ofrendas florales. | Puerco en adobo, sopa de pan, cochito al horno, chanfaina, frijoles con chipilín, pollo en azafrán, taquitos de plátano, queso relleno, enchiladas, moronga, longaniza, olla podrida, tamales de juacané.<br>Conserva de dátiles, tamales dulces, melcochas, nanches curtidos, cocadas blancas y amarillas, flan de yemas, trompadas, buñuelos, chocolates, dulces cristalizados, ates, jalea de capulín, budín de maíz, jamoncillos.<br>Café endulzado con piloncillo, aguas frescas, chocolate, champurrado, pozol blanco, atoles, cerveza dulce, tascalate, pinole. |

| | | |
|---|---|---|
| COMITÁN<br>*Noviembre 1 y 2* | **Día de Todos los Santos**<br>**Día de Muertos**<br>Visita a los muertos llevándoles ofrendas florales y comida tradicional; se ejecutan danzas y se toca música mientras las personas se encuentran rezando ante los altares construidos en los cementerios o en las casas. | ~ Gorditas de frijol negro, sopa de chipilín, cochito al horno, tamales de bola, chanfaina, moronga, longaniza, puerco en adobo, olla podrida, queso enchilado, pollo en azafrán, tasajo con pepita, frijoles de la olla.<br>~ Pinole, tascalate, cerveza dulce, champurrado, atoles, chocolate, aguas frescas, café de olla, pozol blanco, aguardiente.<br>~ Suspiros de yema, ciruelas pasas, jalea de capulín, conserva de guayabas, ates, dulces cristalizados, caramelos de miel virgen, melcochas, temperantes, nanches curtidos, buñuelos, trompadas, tamales de elote. |
| CHENALHÓ<br>*Fecha movible*<br>*(Depende de la Cuaresma)* | **Martes de Carnaval**<br>Se celebran actos conmemorativos y ceremonias religiosas. Los tzotziles tocan sus guitarras, violines y arpas; ejecutan rituales y danzas siguiendo las instrucciones de las "Pasiones". | ~ Sopa de arroz, chanfaina, puerco con arroz, tasajo con pepita, pollo en azafrán, frijoles con chipilín, robalo en hierbasanta, tortitas de plátano verde, enchiladas rellenas, gorditas de frijol negro, moronga, olla podrida, longaniza, queso enchilado.<br>~ Suspiros de yuca, cocadas, flan de yemas, roscas de frutas, marquesote, hojarascas, melcochas, pictes de elote, dulces, cristalizados, camotes, chimbos, jamoncillos, buñuelos, nanches curtidos, trompadas, dulces de leche.<br>~ Café de olla, chocolate, atoles, champurrado, tascalate, pinole, aguas frescas, aguardiente, cerveza dulce. |
| CHIAPA DE CORZO<br>*Enero 20, 21 y 22* | **Festival de San Sebastián**<br>Las ceremonias duran tres días. Ejecutan la Danza de los Parachicos con el atuendo tradicional que incluye pelucas elaboradas y máscaras. En la noche del 21 se escenifica una batalla naval en las aguas del río, con despliegue de fuegos artificiales. El 22 hay desfiles de carrozas, con la figura de doña María de Angulo presidiendo. Las mujeres llevan el típico traje chiapaneco. | ~ Tamales de juacané, puerco en adobo, pollo en azafrán, taquitos de plátano, queso relleno, enchiladas, sopa de chipilín, chanfaina, cochito al horno, gorditas de frijol negro, tasajo con pepita, olla podrida, tamales de hoja de plátano, moronga, longaniza, sopa de pan.<br>~ Buñuelos, cocadas, jaleas, conservas, ates, caramelos de miel virgen, nanches curtidos, melcochas, tamales dulces, cupapés, trompadas, budín de maíz, chimbos, dulces cristalizados.<br>~ Aguardiente, pinole, chocolate, atoles, champurrado, cerveza dulce, tascalate, aguas frescas, café endulzado con piloncillo, pozol blanco. |
| *Noviembre 2* | **Día de Muertos**<br>Las ceremonias son solemnes; el pueblo entero acude a las tumbas llevando dulces, flores y comida. A la hora del crepúsculo se encienden velas. | ~ Robalo en hierbasanta, chanfaina, tortitas de plátano verde, frijoles de la olla, cochito al horno, gorditas de frijol negro, puerco con arroz, sopa de fideos, enchiladas, moronga, olla podrida, longaniza, queso relleno, tasajo con pepita, pollo en azafrán.<br>~ Jamoncillos, chimbos, cocadas, camotes, buñuelos, jalea de capulín, ates, jamoncillos, budín de maíz, pictes de elote, ciruelas pasas, buñuelos, caramelos de miel virgen, melcochas, nanches curtidos.<br>~ Pozol blanco, atoles, champurrado, cerveza dulce, pinole, tascalate, chocolate, aguas frescas, aguardiente, café de olla. |
| HUISTÁN<br>*Mayo 14, 15 y 16* | **San Isidro Labrador**<br>Conmemoración con danzas especiales; los tzotziles se visten con un atuendo peculiar que incluye el mismo tipo de sandalias que aparecen en los relieves de Palenque, con plataforma de siete suelas y tacón de diez pulgadas de alto. | ~ Chanfaina, puerco en adobo, longaniza, taquitos de plátano, gorditas de frijol negro, enchiladas rellenas, robalo en hierbasanta, cochito al horno, frijoles con chipilín, tasajo con pepita, longaniza, olla podrida, queso enchilado, moronga.<br>~ Curtidos de frutas en aguardiente, tamales dulces, trompadas, camotes, dulces cristalizados, cocadas, ates, jaleas, melcochas, temperantes, jocotes, flan de yemas, cupapés.<br>~ Champurrado, pinole, tascalate, atoles, aguas frescas, cerveza dulce, chocolate, pozol blanco, café endulzado con piloncillo. |

**HUISTÁN**
*Septiembre 28 y 29*

**San Miguel Arcángel**
Ceremonias en honor al Santo Patrono, hay bailes y música. Se visten con un atuendo tradicional, copiado de una imagen barroca del Santo.

- Cochito al horno, gorditas de frijol negro, olla podrida, longaniza, queso relleno, enchiladas, pollo en azafrán, tasajo con pepita, puerco con arroz, frijoles de la olla, sopa de pan, tamales de juacané, chanfaina.
- Ates, jaleas, caramelos de miel virgen, cocadas blancas y amarillas, nanches curtidos, melcochas, jocotes, dulces de leche, chimbos, jamoncillos, marquesotes, trompadas.
- Cerveza dulce, aguas frescas, atoles, tascalate, pinole, chocolate, pozol blanco, café de olla, champurrado.

---

**LAS MARGARITAS**
*Julio 20*

**Santa Margarita**
Festejan a su Santa Patrona con desfiles y danzas. Se congregan los indios tojolabales ataviados con su mejor ropa.

- Tamales de hoja de plátano, cochito al horno, olla podrida, longaniza, moronga, gorditas de frijol negro, robalo en hierbasanta, frijoles con chipilín, sopa de pan, queso relleno, enchiladas, chanfaina, puerco con arroz, pollo en azafrán, tasajo con pepita, tortitas de plátano verde.
- Curtidos de frutas en almíbar, camotes, ates, jaleas, cocadas, melcochas, trompadas, dulces cristalizados, caramelos, pictes de elote, buñuelos, tamales dulces.
- Aguas frescas, cerveza dulce, pinole, chocolate, aguardiente, atoles, champurrado, pozol blanco, tascalate, café de olla.

---

**MAGDALENAS**
*Julio 22*

**Santa María Magdalena**
Hay todo tipo de celebraciones: música tocada por bandas, bailes, carreras de caballos, fuegos artificiales, etc. Las aldeas indígenas enclavadas en la zona montañosa organizan los festejos en honor de la Santa Patrona de esta localidad.

- Sopa de pan, pollo en azafrán, chanfaina, puerco con arroz, moronga, olla podrida, longaniza, frijoles de la olla, taquitos de plátano, queso relleno, enchiladas, tamales de juacané, cochito al horno, robalo en hierbasanta.
- Ciruelas pasas, marquesote, roscas de frutas, ates, jaleas, buñuelos, tamales dulces, tártaras, higos, cocadas, cupapés, jamoncillos, chimbos, melcochas, budín de maíz, temperantes, jocotes.
- Tascalate, pozol blanco, atoles, café endulzado con piloncillo, aguas frescas, champurrado, chocolate, cerveza dulce, pinole.

---

**OXCHUC**
*Diciembre 21*

**Santo Tomás**
Hace varios siglos los indios tzetzales veneraban al Dios de la Lluvia, pero a partir de la Conquista empezaron a rendirle culto a Santo Tomás. Los nativos conmemoran esta fecha vestidos con túnicas blancas de hilaza y diseños multicolores.

- Pollo en azafrán, sopa de chipilín, puerco en adobo, chanfaina, olla podrida, gorditas de frijol negro, sopa de fideos, taquitos de plátano, queso enchilado, tasajo con pepita, robalo en hierbasanta, moronga, longaniza.
- Jaleas, ates, trompadas, conserva de dátiles, dulces de leche, curtidos de frutas en almíbar, caramelos de miel virgen, pictes de elote, tamales dulces, camotes, buñuelos, cocadas, budín de maíz, nanches curtidos, jamoncillos.
- Café endulzado con piloncillo, aguas frescas, atoles, chocolate, champurrado, ponche de frutas, cerveza dulce, pinole, tascalate, pozol blanco.

**SAN ANDRÉS CHAMULA (Larráinzar)**
*Fecha movible*
*(Depende de la Cuaresma)*

**Martes de Carnaval**
Algunos actores del lugar se visten con traje negro de corte europeo y persiguen a los niños hasta la iglesia, en medio de risas y gritos de los pequeños, quienes supuestamente van a ser decapitados. También se lleva a cabo un rito prehispánico, modificado, en el que los indígenas, ataviados con atuendos tradicionales, montan a caballo y llevan en sus manos a un gallo negro al que le van arrancando las plumas. Después, uno de los hombres vestidos de negro le arranca la cabeza al gallo de una mordida, mientras que los demás lo imitan. Se supone que es un acto de expiación.

Sopa de pan, tortitas de plátano verde, chanfaina, puerco en adobo, pollo en azafrán, olla podrida, longaniza, moronga, tasajo con pepita, tamales de hoja de cambrayas, enchiladas, queso relleno, frijoles con chipilín, sopa de arroz.

Suspiros de yuca, jocotes, nanches encurtidos, jalea de capulín, cocadas, tártaras, higos, ciruelas pasas, buñuelos, temperantes, melcochas, flan de yemas, ates, trompadas, camotes, dulces de leche.

Pinole, pozol blanco, tascalate, aguas frescas, atoles, chocolate, champurrado, cerveza dulce, café de olla.

---

*Noviembre 30*

**San Andrés**
Acuden en peregrinación para rendirle culto, llevando sobre sus hombros las imágenes de los santos patronos de sus pueblos. Los indígenas bailan al son de la música y los dirigentes municipales encabezan la procesión.

Gorditas de frijol negro, cochito al horno, chanfaina, olla podrida, moronga, longaniza, robalo en hierbasanta, sopa de pan, taquitos de plátano, tasajo con pepita, pollo en azafrán, queso enchilado, tamales de bola, enchiladas, sopa de arroz, frijoles de la olla.

Cupapés, jaleas, pictes de elote, dulces cristalizados, hojarascas, ates, caramelos de miel virgen, chimbos, jamoncillos, camotes, cocadas blancas y amarillas, tamales dulces, flan de yemas, hojuelas, melcochas, budín de maíz.

Café endulzado con piloncillo, pinole, champurrado, atoles, pozole blanco, chocolate, aguas frescas, cerveza dulce, tascalate.

---

**SAN CRISTÓBAL DE LAS CASAS**
*Julio 25*

**San Cristóbal**
Las festividades empiezan el día 17. Los fieles llegan en peregrinación para rendirle culto. El 24 pasan la noche en vigilia en los alrededores de la iglesia, a la luz de fogatas y antorchas. Los festejos concluyen el día 25 con varios actos, tanto seculares como religiosos.

Cochito al horno, queso enchilado, olla podrida, sopa de fideos, chanfaina, pollo en azafrán, puerco con arroz o en adobo, moronga, longaniza, sopa de pan, frijoles con chipilín, robalo en hierbasanta, tasajo con pepita, gorditas de frijol negro, enchiladas rellenas; tamales de juacané.

Compota de guayabas, jalea de capulín, ates, budín de maíz, trompadas, cupapés, camotes, cocadas blancas y amarillas, buñuelos, nanches curtidos, marquesotes, flan de yemas, jocotes, dulces cristalizados.

Atoles (agrio o de granillo), pinole, cerveza dulce, aguas frescas, chocolate, champurrado, tascalate, pozol blanco, café de olla.

---

*Diciembre 12*

**Nuestra Señora de Guadalupe**
Organizan desfiles de jinetes y carros decorados con flores y ramas de ciprés y musgo; los fieles van detrás de la procesión, acompañados por música de marimba y cuerdas. Los indios tzetzales y tzotziles se visten con atuendos coloridos; provienen de poblaciones cercanas a esta localidad y se reúnen para festejar a su Santa Patrona.

Cochito al horno, chanfaina, queso relleno, puerco con arroz, sopa de fideos, tasajo con pepita, pollo en azafrán, tortitas de plátano verde, sopa de chipilín, robalo de hierbasanta, frijoles de la olla, gorditas de frijol negro, enchiladas, longaniza, moronga, olla podrida, taquitos de plátano.

Tamales dulces, pictes de elote, melcochas, buñuelos, jocotes, dulces de leche, jamoncillos, temperantes, ates, camotes, cocadas, chimbos, dulces cristalizados, caramelos, roscas de frutas.

Aguas frescas, atoles, champurrado, chocolate, café de olla, pinole, cerveza dulce, pozol blanco, ponche de frutas, tascalate.

**SAN JUAN CHAMULA**
*Fecha movible*
*(Depende de la Cuaresma)*

**Martes de Carnaval**
La ceremonia principal es un rito de purificación; durante el mismo los indios saltan una barricada de fuego construida frente a la iglesia. Unos días antes de esta fecha los indios chamula cubren su cuerpo con pelo de mono y usan abrigos y sombreros de la época de Napoleón: juegan y bailan el "Bolonchón".

- Gorditas de frijol negro, sopa de pan, tamales de hoja cambrayas, chanfaina, cochito al horno, robalo en hierbasanta, pollo en azafrán, puerco en adobo, moronga, longaniza, olla podrida, sopa de chipilín, frijoles de olla, enchiladas rellenas, queso enchilado, taquitos de plátano.
- Melcochas, hojuelas, jalea de capulín, jocotes, nanches curtidos, ciruelas pasas, jamoncillo, compota de guayaba.
- Pinole, pozol blanco, aguas frescas de chicha y canela, atoles, chocolate, champurrado, café endulzado con piloncillo, cerveza dulce, tascalate.

---

*Junio 24*

**San Juan**
Se organizan ceremonias especiales y procesiones. Los festejos empiezan con varios días de anticipación y culminan el día 24. Hay carreras de caballos y procesiones con estandartes multicolores y llamativos atuendos regionales.

- Sopa de arroz, chanfaina, puerco en adobo, tasajo con pepita, cochito al horno, queso enchilado, pollo en azafrán, frijoles con chipilín, enchiladas, tamales de juacané, tortitas de plátano verde, moronga, olla podrida, longaniza.
- Caramelos de miel virgen, flan de yemas, ates, jaleas, conserva de dátiles, buñuelos, chocolates, cocadas, jocotes, trompadas, camotes, budín de maíz, dulces cristalizados.
- Cerveza dulce, tascalate, pozol blanco, atoles, aguas frescas, chocolate, champurrado, café de olla, pinole.

---

**SIMOJOVEL**
*Junio 13*

**Festival en honor de San Antonio**
Se festeja con música de arpas, guitarras, flautas y tambores; los ejecutantes interpretan melodías dulces y, a veces melancólicas. Se pueden apreciar los sorprendentes castillos, hechos a base de fuegos artificiales, especialidad de los indígenas de la región.

- Gorditas de frijol negro, cochito al horno, longaniza, moronga, enchiladas rellenas, chanfaina, sopa de pan, pollo en azafrán, puerco con arroz, robalo en hierbasanta, frijoles con chipilín, tortitas de plátano verde, tasajo con pepita, olla podrida, tamales de hoja de plátano, frijoles de la olla.
- Roscas de frutas, marquesotes, cazuelejas, jaleas, ates, dulces de leche, cocadas, camotes, tamales dulces, melcochas, buñuelos, suspiros de yuca, conserva de dátiles, ciruelas pasas, chimbos.
- Café endulzado con piloncillo, atoles, chocolate, pinole, pozol blanco, tascalate, cerveza dulce, champurrado.

---

**TENEJAPA**
*Julio 25*

**Santiago Apóstol**
Durante esta celebración religiosa se congregan en la iglesia para fumar; lo hacen al finalizar sus plegarias a través de las que invocan a la deidad del sol, rito antiguo que se remonta a la época prehispánica.

- Queso enchilado, longaniza, olla podrida, moronga, tamales de bola, cochito al horno, gorditas de frijol negro, sopa de pan, enchiladas rellenas, taquitos de plátano, sopa de chipilín, cochito al horno, pollo en azafrán, puerco con arroz, tasajo con pepita, frijoles de la olla.
- Jocotes, nanches curtidos, cocadas, flan de yemas, ates, jaleas, trompadas, cocadas, jamoncillos, dulces de leche, camotes, chimbos, marquesotes, roscas de frutas.
- Pinole. chocolate, atoles, aguas frescas, café de olla, pozol blanco, tascalate, champurrado, cerveza dulce.

## NUTRIMENTOS Y CALORÍAS

### REQUERIMIENTOS DIARIOS DE NUTRIMENTOS (NIÑOS Y JÓVENES)

| *Nutrimento* | *Menor de 1 año* | *1-3 años* | *3-6 años* | *6-9 años* | *9-12 años* | *12-15 años* | *5-18 años* |
|---|---|---|---|---|---|---|---|
| Proteínas | 2.5 g/k | 35 g | 55 g | 65 g | 75 g | 75 g | 85 g |
| Grasas | 3-4 g/k | 34 g | 53 g | 68 g | 80 g | 95 g | 100 g |
| Carbohidratos | 12-14 g/k | 125 g | 175 g | 225 g | 350 g | 350 g | 450 g |
| Agua | 125-150 ml/k | 125 ml/k | 125 ml/k | 100 ml/k | 2-3 litros | 2-3 litros | 2-3 litros |
| Calcio | 800 mg | 1 g | 1 g | 1 g | 1 g | 1 g | 1 g |
| Hierro | 10-15 mg | 15 mg | 10 mg | 12 mg | 15 mg | 15 mg | 12 mg |
| Fósforo | 1.5 g | 1.0 g | 1.0 g | 1.0 g | 1.0 g | 1.0 g | 0.75 g |
| Yodo | 0.002 mg/k | 0.002 mg/k | 0.002 mg/k | 0.002 mg/k | 0.02 mg/k | 0.1 mg | 0.1 mg |
| Vitamina A | 1500 UI | 2000 UI | 2500 UI | 3500 UI | 4500 UI | 5000 UI | 6000 UI |
| Vitamina B-1 | 0.4 mg | 0.6 mg | 0-8 mg | 1.0 mg | 1.5 mg | 1.5 mg | 1.5 mg |
| Vitamina B-2 | 0.6 mg | 0.9 mg | 1.4 mg | 1.5 mg | 1.8 mg | 1.8 mg | 1.8 mg |
| Vitamina C | 30 mg | 40 mg | 50 mg | 60 mg | 70 mg | 80 mg | 75 mg |
| Vitamina D | 480 UI | 400 UI | 400 UI | 400 UI | 400 UI | 400 UI | 400 UI |

### REQUERIMIENTOS DIARIOS DE NUTRIMENTOS (ADULTOS)

| | |
|---|---|
| Proteínas | 1 g/k |
| Grasas | 100 g |
| Carbohidratos | 500 g |
| Agua | 2 litros |
| Calcio | 1 g |
| Hierro | 12 mg |
| Fósforo | 0.75 mg |
| Yodo | 0.1 mg |
| Vitamina A | 6000 UI |
| Vitamina B-1 | 1.5 mg |
| Vitamina B-2 | 1.8 mg |
| Vitamina C | 75 mg |
| Vitamina D | 400 UI |

### REQUERIMIENTOS DIARIOS DE CALORÍAS (NIÑOS Y ADULTOS)

| | | *Calorías diarias* |
|---|---|---|
| Niños | 12-14 años | 2800 a 3000 |
| | 10-12 años | 2300 a 2800 |
| | 8-10 años | 2000 a 2300 |
| | 6-8 años | 1700 a 2000 |
| | 3-6 años | 1400 a 1700 |
| | 2-3 años | 1100 a 1400 |
| | 1-2 años | 900 a 1100 |
| Adolescentes | Mujer de 14-18 años | 2800 a 3000 |
| | Hombres de 14-18 años | 3000 a 3400 |
| Mujeres | Trabajo activo | 2800 a 3000 |
| | Trabajo doméstico | 2600 a 3000 |
| Hombres | Trabajo pesado | 3500 a 4500 |
| | Trabajo moderado | 3000 a 3500 |
| | Trabajo liviano | 2600 a 3000 |

# EQUIVALENCIAS

### EQUIVALENCIAS EN MEDIDAS

| | | | |
|---|---|---|---|
| 1 | taza de azúcar granulada | 250 | g |
| 1 | taza de azúcar pulverizada | 170 | g |
| 1 | taza de manteca o mantequilla | 180 | g |
| 1 | taza de harina o maizena | 120 | g |
| 1 | taza de pasas o dátiles | 150 | g |
| 1 | taza de nueces | 115 | g |
| 1 | taza de claras | 9 | claras |
| 1 | taza de yemas | 14 | yemas |
| 1 | taza | 240 | ml |

### EQUIVALENCIAS EN CUCHARADAS SOPERAS

| | | | |
|---|---|---|---|
| 4 | cucharadas de mantequilla sólida | 56 | g |
| 2 | cucharadas de azúcar granulada | 25 | g |
| 4 | cucharadas de harina | 30 | g |
| 4 | cucharadas de café molido | 28 | g |
| 10 | cucharadas de azúcar granulada | 125 | g |
| 8 | cucharadas de azúcar pulverizada | 85 | g |

### EQUIVALENCIAS EN MEDIDAS ANTIGUAS

| | | | |
|---|---|---|---|
| 1 | cuartillo | 2 | tazas |
| 1 | doble | 2 | litros |
| 1 | onza | 28 | g |
| 1 | libra americana | 454 | g |
| 1 | libra española | 460 | g |
| 1 | pilón | cantidad que se toma con cuatro dedos | |

### TEMPERATURA DE HORNO EN GRADOS CENTÍGRADOS

| *Tipo de calor* | *Grados* | *Cocimiento* |
|---|---|---|
| Muy suave | 110° | merengues |
| Suave | 170° | pasteles grandes |
| Moderado | 210° | soufflé, galletas |
| Fuerte | 230°-250° | tartaletas, pastelitos |
| Muy fuerte | 250°-300° | hojaldre |

### TEMPERATURA DE HORNO EN GRADOS FAHRENHEIT

| | |
|---|---|
| Suave | 350° |
| Moderado | 400° |
| Fuerte | 475° |
| Muy fuerte | 550° |

**Achiote.** Árbol de las bixáceas, de altura media y flores rojizas, propio del trópico. Con sus frutos y semillas se preparan bebidas refrescantes y pastas colorantes apreciadas en la cocina por su color y sabor.

**Atole.** Bebida espesa hecha con maíz cocido y molido y otros ingredientes diluidos o hervidos con agua o leche. El azúcar, canela, miel, frutas molidas, etc., le dan agradable sabor. **Atole agrio**, a base de maíz morado que se deja fermentar y se cuece con piloncillo. **Atole de granillo**, atole de maíz cocido y reventado, se muele con canela y azúcar.

**Cambray (tamales de).** Se designa así a un tipo de tamales preparados con masa de maíz, aceitunas, pasas, huevos duros, mole y otros ingredientes; según la región llevan carne picada de pollo o puerco, y se envuelven con hoja de maíz o de plátano.

**Cazueleja.** Pan hecho a base de harina de trigo, huevos, levadura y azúcar, en forma de cazuela.

**Cerveza dulce.** Bebida refrescante, moderadamente alcohólica, preparada con jengibre. De uso frecuente en San Cristóbal de las Casas.

**Cochito (cochi).** Puerco pequeño, lechón.

**Coyol.** Palmera de tierra cálida y fruto de la misma: una pequeña esfera con cáscara delgada y lustrosa, muy apetecida por el ganado; verde sin madurar y amarilla en la madurez. Con el fruto se prepara un dulce muy estimado y del tronco de la palmera se extrae el jugo que sirve para preparar una bebida fermentada.

**Cueza.** Raíz de chayote; en otras partes se llama **chinchayote** o **chayotestle.**

**Cupapé (cópite, guayabillo, ziricote).** Árbol de hasta quince metros de altura, cuyo fruto es una baya carnosa de forma ovoide y color amarillento al madurar. El fruto se aprovecha exclusivamente en almíbar o en forma de conserva; las hojas se utilizan como fibra de limpieza de utensilios de cocina y la madera es apreciada en carpintería y ebanistería.

**Curtidos.** Frutas que se conservan en aguardiente y almíbar: jocotes, nanches, duraznos, membrillos, etcétera.

**Cusuche.** Voz zoque. Hongo comestible que proviene del sur de Tabasco y norte de Chiapas; suele crecer en primavera sobre la superficie de los árboles caídos.

**Cutunuc (cuchunuc).** Voz zoque. Flores comestibles del árbol de mata ratón o cochite, que se dan en marzo y abril; se utilizan en la confección de tamales y otros platillos. A la hoja de este árbol se le atribuyen propiedades medicinales.

**Chamborotes (chiles).** Chiles manzana. Son dulzones y, generalmente, de color rojo.

**Champurrado.** Bebida de uso frecuente, propia de desayunos, meriendas y ocasiones festivas. Se prepara con atole y chocolate.

**Chanfaina.** Preparación de un guiso con menudos de ave o de res. Se puede referir, específicamente, a un menudo de res con salsa de hígado.

**Chapaya (pacaya).** Palma con frutos carnosos ovoides de unos 15 cm de largo, cubiertos de espinas cortas. La madera del tronco se utiliza para fabricar herramientas y sus flores y frutos son comestibles.

**Chaya.** Planta euforbiácea, de hojas perfumadas que se comen como legumbre. A la chaya no comestible (**chaya pica**), de hojas ásperas y picosas, se atribuyen propiedades medicinales.

**Chía.** Semila de la salvia chian. De una de sus variedades se obtiene aceite para pintura; con otra, puesta en agua endulzada y con jugo de limón, se prepara una bebida mucilaginosa, apreciada por sus cualidades refrescantes.

**Chicha.** Bebida fermentada originaria de Perú. Originalmente de maíz, en México se hace de cebada, panocha, piña, canela, etc. En Chiapas se acostumbra preparar con jugo de caña de azúcar fermentado.

**Chiles ischatic.** Variedad de chile que utilizan los zoques.

**Chimbo.** Dulce preparado a base de yemas de huevos, azúcar y canela.

**Chipilín (cascabelito, cohetillo).** Planta leguminosa herbácea de ramas delgadas y hojas pequeñas de color verde claro, aromáticas y de agradable sabor. Su uso es frecuente en las comidas típicas del sureste. Se dice que tiene efectos tranquilizantes.

**Chirmole (chilmole).** Especie de mole poco elaborado; generalmente es un caldillo aguado de jitomate, chiles y cebollas en que se guisan carnes y legumbres.

**Chumul.** En la región costeña del estado se refiere al "envoltorio" de pescado, es decir, un tamal envuelto en hojas de plátano, hierbasanta y otras plantas.

**Encurtidos.** Conservas de verdura en vinagre.

**Escumites.** Frijoles costeños, chicos de tamaño, por lo general de color gris o blanco.

**Hierbasanta (acuyo, hoja de Santamaría, momo, hoja de anís).** Planta piperácea de la zona cálida intertropical. Envuelve tamales; se aprecia como condimento y se le atribuyen propiedades medicinales.

**Jocote (jobo).** Árbol de la América tropical que produce una especie de ciruela; el fruto de dicho árbol. Hay muchas especies: el **jocote chapia** o **chapilla**, de color amarillo-rojizo, es de sabor dulce; el **iguanita** es amarillo; el **largo** y el **jobo** se aprovechan para preparar curtidos o aguardiente.

**Juacané (tamales de).** Se designa así a un tipo de tamales de maíz con camarón y pepita molida.

**Macús (macuses).** Nombre que se da en Tapachula a las flores de la yuquilla, semejantes a una alcachofa pequeña, que se come como verdura.

**Mandioca (yuca).** Arbusto euforbiáceo, ramoso y de tallos irregulares y flores en racimo. Su raíz, carnosa y larga; da fécula y harina de buena calidad; se aprovecha como verdura cocida; con miel de abeja, se convierte en postre.

**Marquesote.** Pan ligero hecho a base de harina y huevos.

**Melcochas.** Golosinas preparadas a base de piloncillo.

**Mistela.** Jugo de los curtidos de frutas; mezcla de aguardiente y miel. Las mistelas de jocote, nanche, etc., constituyen un licor dulce, embriagante, de sabor agradable, que se acostumbra tomar como aperitivo o digestivo.

**Nanche (nanchi, nance).** Árbol de las malpigiáceas, de tierra caliente, de diez metros de altura aproximadamente; nombre de su fruto (del tamaño de una cereza, amarillo en la madurez, de hueso rugoso y macizo). Madura de mayo a julio y es agridulce e incitante. Se come crudo o en dulce, jalea, pasta, conserva, curtido en alcohol y almíbar.

**Ninguijuti.** Voz zoque. Significa "molito con puerco".

**Nucú.** Voz zoque. Nombre que se da a una hormiga que vive en el nido de las arrieras y sólo aparece en la temporada de las primeras lluvias; estos insectos, lavados y tostados, son platillo de gran arraigo.

**Pebre.** Recaudo tradicional con el que se preparan platillos de lengua de res o pollo, previamente cocidos. A la cebolla y jitomate se incorporan diversas especias (azafrán, tomillo, canela, orégano, etc.) y verduras con una salsa espesa.

**Pejelagarto (catán).** Pez de agua dulce, frecuente en algunas regiones de la zona norte de la entidad. De color verdoso y hocico alargado, las escamas forman una gruesa concha. Abundante en la temporada de lluvias, su carne es blanca, dura y de buen sabor.

**Pictes de elote (pictles).** Tamalitos de elote tierno o de masa con anís.

**Piloncillo (panela).** Pan de azúcar oscura –mascabado sin purificar– en forma de cono truncado o cucurucho.

**Pinole.** Harina de maíz tostado, a veces endulzada y mezclada con canela, cacao, etc. Se toma solo o como bebida disuelto en agua.

**Pipián (pepián).** Aderezo que se elabora con salsa de semillas aceitosas –mayormente las de calabaza–, molidas y tostadas.

**Plátano macho (hurtón, bellaco).** Variedad del plátano que produce los frutos más grandes (Musa paradissiaca), pues llegan a medir más de treinta centímetros.

**Pozol.** Bebida alimenticia preparada con masa de nixtamal, es decir, maíz cocido y molido que se bate en agua fría. Hay variedades diversas: pozol blanco, pozol agrio (fermentado), aderezado con azúcar o cacao (**chorote**), etcétera.

**Shuti.** Caracoles de río.

**Siguamonte (tzihuamonte).** Es un platillo de carne con hueso: puede ser de res, venado, conejo, etc. Primero se asa y después se cuece con epazote, achiote, jitomate, cebollas, etcétera.

**Tasajo.** Carne salada y serenada. Puede tener alguna condimentación especial, según la región.

**Tascalate (tazcalate).** Bebida refrescante que se hace con tostadas de maíz (sin sal), molidas; cacao, achiote, canela y azúcar.

**Temperante.** Refresco que se prepara con jarabe, colorante vegetal rojo y canela.

**Totomostle (totomoxtle, totomozcle).** También "doblador". Hojas que envuelven a las mazorcas del maíz maduro. Pueden ser forraje, envoltura, papel para liar cigarrillos, etc. Con ellas se envuelven y cuecen los tamales.

**Trompadas.** Dulces hechos a base de piloncillo, rellenos de cacahuate, coco o canela.

**Tsata.** Platillo a base de frijoles chicos y plátano, acompañado de asientos de chicharrón.

**Yumi.** Bejuco con gruesos rizomas carnosos comestibles. Son fusiformes, amarillentos; frecuentes de febrero a mayo en los mercados de Tuxtla Gutiérrez. Se toman crudos (cuando son jóvenes), o cocidos y rebanados.

Esta obra fue impresa en el mes de octubre de 2000
en los talleres de Litográfica Ingramex, S.A. de C.V.,
que se localizan en la calle de Centeno 162,
colonia Granjas Esmeralda, en la ciudad de México, D.F.
La encuadernación de los ejemplares se hizo
en los talleres de Dinámica de Acabado Editorial, S.A. de C.V.,
que se localizan en la calle de Centeno 4-B,
colonia Granjas Esmeralda, en la ciudad de México, D.F.